TALVEZ VOCÊ SEJA...

MARCELO COSME
TALVEZ VOCÊ SEJA...

DESCONSTRUINDO A LGBTFOBIA QUE VOCÊ NEM SABE QUE TEM

🜨 Planeta

Copyright © Marcelo Cosme, 2021
Copyright © Editora Planeta do Brasil, 2021
Todos os direitos reservados.

Preparação: Amanda Moura
Revisão: Carla Sacrato e Fernanda Guerriero Antunes
Diagramação: Dimitry Uziel
Capa: Giulia Fagundes

Dados Internacionais de Catalogação na Publicação (CIP)
Angélica Ilacqua CRB-8/7057

Cosme, Marcelo
    Talvez você seja: desconstruindo a LGBTfobia que você nem sabe que tem / Marcelo Cosme. – São Paulo: Planeta, 2021.
    208 p.

ISBN 978-65-5535-550-5

1. Homofobia 2. Homossexualidade 3. Cosme, Marcelo - Narrativas pessoais I. Título

21-4614   CDD 306.766

Índice para catálogo sistemático:
1. Autoajuda

Ao escolher este livro, você está apoiando o manejo responsável das florestas do mundo

2021
Todos os direitos desta edição reservados à
EDITORA PLANETA DO BRASIL LTDA.
Rua Bela Cintra 986, 4º andar – Consolação
São Paulo – SP CEP 01415-002
www.planetadelivros.com.br
faleconosco@editoraplaneta.com.br

À minha família, que sempre esteve por perto, isso deixa o caminho mais leve.

A meu filho Eduardo, por lidar desde sempre com a naturalidade de ter um pai gay.

A Frankel Brandão, meu companheiro de vida, o primeiro a ler cada palavra deste livro.

A Diego Trávez, um amigo e primeiro incentivador deste livro.

SUMÁRIO

PREFÁCIO	8
INTRODUÇÃO	12
NÃO É DOENÇA	24
PRECONCEITO	40
FAMÍLIA	62
TRABALHO	84
SEXUALIDADE	102
É CRIME SER HOMOSSEXUAL?	114
REPRESENTATIVIDADE NO PODER	138
QUEM ABRIU A PORTA?	160
A PRIMEIRA VEZ QUE OUVI UM TRANS	174
CONCLUSÃO	188
PARA SABER	195

PREFÁCIO

"Tive muita dificuldade em me reconhecer homossexual. Ainda que o imperativo do desejo sempre estivesse ali, desde as minhas mais tenras lembranças, o embaraço, a vergonha e a tristeza decorrentes também sempre o acompanharam e sombrearam.

'A libido não é coisa pra se abafar. Pode azedar, e em ranço se tornar.'

Levou todo esse tempo de vida e outro correspondente de exposição pública para chegar a escrever as linhas acima em uma das minhas canções mais recentes, intitulada, a propósito, *Gatilho*.

Passei da adolescência à juventude estipulando uma idade em que 'aquilo' fosse erradicado. E custou muito, muito sofrimento psíquico para me convencer de que 'eu não nasci pra perder'.

Mantive um relacionamento hétero até a maturidade, primariamente com o propósito de retribuir um sentimento e uma atração que era o oposto de toda abjeta rejeição a que já me expusera.

'Eu experimentei uma sensação que até então não conhecia, de se querer bem, de se querer quem se tem.'

Foi belo enquanto verdadeiro e enfeiou quando previsivelmente deixou de sê-lo. Foi quando me ficou claro que não se manobra a própria sexualidade à força – algo a que o pai da psicanálise atribui a maior potência na psique humana. Uma alma dividida é o princípio da loucura, da perda da razão. Cheguei bem perto mas, finalmente, entre Eros e Thanatos, escolhi o primeiro

A primeira vez que beijei um homem em público, ainda na década de 1970 (a homosexualidade foi crime na Inglaterra até 1972) fomos agredidos e escorraçados do bar e da rua do Leblon pelos funcionários e seguranças. Antes de ter raiva, tive medo e fiquei abatido por muito tempo.

Foi em Nova York que assisti ao documentário *The Life and Times of Harvey Milk* – o que me acordou a consciência de que direitos de gênero são direitos humanos. Do meio da exibição em diante chorei convulsivamente sozinho no escuro da sala do Angelica Film Center. Aquele momento foi o início do meu despertar, de minha percepção de que não estava apenas me negando, mas à própria sociedade e meu lugar nela.

Não foi um processo rápido, mas definitivo porque contra a luz não há argumento, como sempre argumentou Joãozinho Trepidação. O que aquele documentário sobre o pioneiro da causa, eleito o primeiro representante público do bairro Castro, a capital gay de São Francisco, fez por mim, foi o que depois se deu o nome de representatividade. Houve outros filmes, publicações e atitudes que me fortaleceram e ancoraram nessa dobrada do Cabo da Boa Esperança e seu mar de tormentas.

Da minha parte, dediquei meu último álbum *Pra Sempre* a meu amado, meu companheiro de vida (acabo achando marido uma denominação demasiado matrimonial, uma contingência religiosa). Foi uma forma de proclamação: sou, amo, sou amado de volta e, sobretudo, não somos os únicos, os primeiros e tampouco os últimos.

Parafraseando Kurt Cobain, "What else can I say? Everyone is gay".

O livro *Talvez você seja*, de Marcelo Cosme, pode fazer por muitos o que aquele documentário sobre Harvey Milk fez por mim. Que faça!

Paz & Amor

LULU SANTOS, CANTOR E COMPOSITOR

INTRODUÇÃO

Eu sempre fui gay, mas não sei exatamente em que momento me dei conta da minha condição.

Eu sempre fui gay em casa, na rua, na escola, na faculdade, no trabalho.

Desde sempre, meu olhar, meu desejo são direcionados ao masculino. As lembranças mais distantes me levam a ter esta certeza. Sempre tive atração por homens. E isso mesmo quando jamais poderia imaginar e entender o que é ser um homem gay. Mesmo quando não tinha ideia de por que homens me chamavam mais atenção do que mulheres.

Isso tudo em meio a uma infância como a de qualquer outra criança. Tive uma infância feliz, não tenho queixas. A grana era curta, confesso, mas, fora isso, tinha muitos amigos, brincava na rua, tinha os joelhos ralados, os tênis furados de tanto chutar tudo que via pelo caminho e aquela preguiça de ir para a escola e fazer os temas. Onde nasci, em Rio Grande, no Rio Grande do Sul, temos "temas", e não tarefa de casa.

Tudo seguia o caminho dito como natural, até a repressão sobre ser quem sempre fui. Nunca pensei em dizer que sou gay. Isso não era uma possibilidade durante longos anos, quase três décadas.

Não havia gays ao meu redor. Lembro poucos e sempre ridicularizados e estigmatizados por serem afeminados. Onde eu morava, em uma cidade do interior e há trinta anos, a palavra **gay** não era dita.

Com todo o respeito, vou relatar como os homossexuais homens eram chamados: "puto" ou "putão". Hoje, temos outra interpretação sobre essas palavras, servem para quem pega geral, faz sucesso em namoros e relações sexuais.

Eu ouvia: fulano é puto.

E, para mulher, nada de lésbica. A palavra era "machorra".

Não passava pela minha cabeça ser um daqueles "putos". Não era algo desejado, não era repúdio. Eu apenas seguia o fluxo. Minha primeira paixão foi uma vizinha, só eu sabia disso.

Tinha amigos com os quais passava o dia para cima e para baixo, até meu pai assobiar na porta de casa, lá pelas oito da noite, para eu "entrar para dentro de casa", como era repetido todas as noites. E, claro, a minha resposta era: "Ah, pai, deixa eu brincar mais um pouco". "Não, por hoje chega".

E foi assim que segui, sem traumas.

Não consigo até hoje entender se era vergonha, medo, desinformação.

Para mim, era tudo natural, sem sofrimento.

Assim segui, mas com esse "olhar voltado para o masculino me acompanhando".

Foi um longo caminho, quase três décadas mantendo o desejo no mais absoluto sigilo, apenas comigo mesmo. Só aos 28 anos tive a coragem de beijar o primeiro homem. Foi como se eu estivesse cometendo o mais terrível crime.

Lembro até hoje. Foi tudo pensado, abortado algumas dezenas de vezes, depois ensaiado, desejado, planejado, proibido, escondido. Ao mesmo tempo liberador e novo, aterrorizante e tranquilizante. Foi dentro de um carro à noite, em uma rua pouco movimentada, nervoso, morrendo de medo de ser visto. Um beijo, um único beijo. A sensação de beijar outro homem foi estranha, confesso. Havia uma barba malfeita, algo áspero. Foi como a maioria nos primeiros beijos: mesmo sendo aos 28 anos, fiquei com os olhos abertos. Afinal, era meu primeiro beijo em um homem.

Quando acabou, queria sair correndo. Se houvesse um botão de ejetar, como nos aviões, teria apertado imediatamente. Mas não tinha. Havia uma porta e foi por ela que saí às pressas.

O pós-beijo também foi uma "cena do pós-crime". Saí apavorado, escondido sabe-se lá de quem, talvez até de mim mesmo. Me perguntando: será que alguém viu? Fui para casa me sentindo estranho, diferente, corajoso.

O silêncio de morar sozinho me ajudou a acomodar o que havia acontecido.

Tinha sido dada a largada para uma nova vida, literalmente.

Aí você vai me perguntar: mas até seus 28 anos você não namorou? Não amou? Não transou? Sim, fiz tudo isso e com muita vontade, sinceridade e entrega. Mas não por um caminho aberto por mim. Segui o fluxo por uma estrada tida como "o caminho correto". Tive namoradas, noivas, um filho. Sim, um filho aos 19 anos, quando eu cursava o terceiro semestre de Jornalismo. Sequer emprego eu tinha.

Fui seguindo o padrão esperado e cobrado de um jovem do interior do Rio Grande do Sul. Criado em um conjunto habitacional e que estudou a vida toda na mesma escola pública. Escola Estadual de primeiro e segundo graus Engenheiro Roberto Bastos Tellechea.

Só quando saí do Rio Grande do Sul e fui morar sozinho em Brasília é que tive a coragem de começar a ser eu. Longe da família parecia ser mais fácil. Perceba que este é um comportamento comum: o LGBTQIA+ se afasta da família para poder experimentar, se descobrir, desvendar seus próprios caminhos. E, longe de qualquer julgamento imediato, pensamos que vai ser fácil. Mas não é. No início, tudo é escondido. Se possível, até de nós mesmos. Para mim foram longos meses vivendo duas vidas. A de sempre, que todos conheciam, e a que só eu sabia. Veja o peso disso, só eu sabia dos meus desejos. Lidava solitário com algo tão intrínseco a mim. Era quase um daqueles criminosos de novelas e filmes que tem algo a esconder de todos. A "confissão" só começou a se tornar uma possibilidade quando não havia mais como sustentar duas vidas em um corpo só. As desculpas e as histórias estavam se tornando um peso para mim. Eu estava feliz sendo pleno com meus sentimentos e desejos pela primeira vez. Por que esconder de tudo e de todos?

Para mim, foi muito custoso verbalizar "eu sou gay". Essa frase vem carregada de medo, de que tem algo errado, feio, proibido. As primeiras vezes, eu devo ter falado quase sussurrando, mas tinha a impressão de que o mundo ouvia como se eu estivesse aos berros.

Para falar pela primeira vez para outra pessoa "EU SOU GAY", foi um longo processo.

Eu não cabia mais em duas vidas, em desculpas. Eu precisava viver a primeira paixão por um homem – e todos sabemos o quanto a paixão nos deixa leves, felizes, sorridentes – e tinha que esconder esse momento. Comecei a tramar o que deveria ser meu plano perfeito, "a hora de contar".

Perguntas como: quem vai ser o primeiro? E como vou contar? O que digo? Onde faço isso? E depois? E se não for positivo? E os outros amigos e amigas? Quem deve saber? Quem não deve saber por nada neste mundo? E como continuar escondendo do "grande público"? E da família?

Plano em mãos: a primeira confissão seria para minha amiga mais próxima. Trabalhávamos na mesma empresa, saíamos juntos para todo lado, já tínhamos morado no mesmo prédio. Minha ouvinte mais receptiva seria minha amiga Letícia Luvison. E lá fui eu na casa dela.

Tudo pensado e ensaiado – cada palavra – muitas vezes.

Cheguei no apartamento dela à noite. Lembro-me de sentar em um banco alto em um balcão/mesa da kitnet – na época, todos nós, recém-chegados a Brasília, morávamos em imóveis de 30 metros quadrados. Tremia feito vara verde. Pedi uma cachaça – isso não estava no meu plano, mas na hora pedi sei lá por quê. Foi uma das únicas vezes que bebi cachaça, pura!

Bebi em um único gole, como nos filmes. Comecei a gaguejar, me tremer e disse: "Tenho uma coisa para te contar".

Letícia, com os olhos esbugalhados – ainda mais do que o normal, porque ela tem olhos grandes –, ficou tão nervosa quanto eu. E disse: "O que aconteceu?". Começou a chorar. Falou: "Me diz logo, meu Deus, o que aconteceu?".

Eu, já chorando também, disse: "Sou gay!"

Intervalo comercial, fim do capítulo. Leia a frase ouvindo aquele vozeirão das chamadas de novelas.

"Como será que Letícia recebeu a notícia de que seu melhor amigo é gay?"

Estou brincando, aqui não tem intervalo.

Letícia largou um sonoro e aliviante: "Ahhhhhhh, é isso? Já sabia".

Me abraçou e chorou comigo.

Daí em diante foi assim.

Conta para um, conta para outro, mas sem cachaça, até porque, se fosse beber a cada amigo para quem contava, teria virado um alcoólatra. Com as confissões, fui percebendo que nada mudava entre mim e meus amigos; ao contrário, nossa amizade se fortalecia.

O primeiro namoro com um homem durou pouco, uns dois meses. Eu ainda não conhecia nada do mundo gay, por isso era preciso desbravar. Carreguei meus amigos heterossexuais para a primeira balada gay, afinal amigo é pra todas as horas. Eu passei a vida indo pra baladas heterossexuais sem reclamar. Meu vínculo com esses amigos e amigas é forte e concreto até hoje. Mesmo quase quinze anos depois e quase todos morando em cidades diferentes.

No meu mundo cor-de-rosa, onde meus amigos e amigas falaram o famoso "tamo junto, nada muda", ia tudo bem, obrigado.

Mas e a família? Essa luz amarela constantemente acesa em meus pensamentos levou mais de uma década para apagar.

Contar para minha família foi muito mais complicado. Para minhas irmãs Danielle e Kelly, por e-mail. Primeiro, uma reação de choque por parte das duas, até certo repúdio. Mas durou algumas horas. Depois, o apoio, o carinho, a confiança, o amor de irmão. Meu irmão, Manoel, acabou sabendo no automático. Nunca precisei verbalizar. Tanto que hoje é paciente do meu namorado. Ultimamente, por incentivo da relação médico-paciente, Frankel fala mais com meu irmão do que eu. Vez por outra, ele me diz:

"Aconteceu tal coisa lá na sua família no Sul?". Pergunto: "Como tu sabe?". "Manuel me contou."

Para o Eduardo, meu filho, a tarefa foi encurtada pela avó materna pedagoga, Rosângela, que se encarregou de começar o papo. Dudu sempre foi muito tranquilo em relação à minha sexualidade. Conheceu alguns namorados, convive com meu atual namorado. Nunca teve qualquer desconforto. Para ele, o fato de ter um pai gay parece sinceramente não ser problema nenhum e não o incomoda em nada. Sempre convivi com os amigos dele, família dos amigos, namorada.

Nunca perguntei para ele: como é ter um pai gay? Acho que ainda preciso dessa coragem.

Só quase dez anos depois de ficar com o primeiro homem é que tive coragem de contar para minha mãe. De todas as pessoas, contar para a minha mãe foi o mais difícil. Afinal, é mãe! Planejei, ensaiei mentalmente milhões de vezes, me tremi todo... e fui. Sentados no sofá de um apartamento, em Brasília, depois de ter feito uma cirurgia nas pernas – hoje vejo que escolhi esse momento por estar fragilizado e, assim, imaginar que isso a sensibilizaria –, falei: "MÃE, SOU GAY".

Ela, chorando, me abraçando, disse: "Tenho medo que tu sofras, tenho medo das pessoas na rua, da família, da reação do teu pai. Mas vou te amar sempre, sempre! Tu é meu filho!".

Ela ficou alguns dias comigo em Brasília enquanto me recuperava e pude perceber que ficou mais pensativa. Ao voltar para o Rio Grande do Sul, pedi para minha irmã mais velha, Danielle, dar uma monitorada. E foi tudo seguindo o caminho natural.

Em poucos meses, já dividia com minha mãe as vivências do meu namoro.

Minha mãe lida com a minha sexualidade da mesma forma que lida com a das minhas duas irmãs e do meu irmão.

Nunca questionou ou se mostrou incomodada.

Para meu pai, só falei em 2018.

Era um último e importante passo dentro de casa, dentro da família. Também foi programado e ensaiado até a exaustão.

Em uma conversa rápida na beira da praia do Cassino, no Rio Grande do Sul, eu disse: "Pai, tenho uma coisa para te contar. Não gosto de namorar mulheres, gosto de namorar homens. Nada muda. Vou continuar sendo como sou. Quer conversar sobre isso?".

Ele: "Não precisa. Não quero falar sobre o assunto".

Desde então, ele não comentou sobre eu ser gay nem com minha mãe, com quem é casado há quase quarenta e cinco anos. Nossa relação não mudou em nada. Simplesmente essa é a forma de ele lidar com o assunto. E eu respeito.

No trabalho, nunca tive problemas. Desde que comecei a contar para as pessoas que sou gay, trabalho no Grupo Globo. Ambiente extremamente respeitoso, plural, acolhedor. Tanto na redação de Brasília, onde fiquei por dez anos, como na do Rio de Janeiro, onde estou desde 2019, sempre convivi com muitos LGBTQIA+.

Tanto que, na minha atual equipe, no jornal *Em Pauta* da GloboNews, a gente brinca que nossos nomes terminam com a letra I. Assim não tem nome masculino ou feminino.

Pra você ter uma ideia de quanto a Globo respeita quem somos, no dia em que falei "meu namorado", ao vivo, no jornal, em horário nobre e em rede nacional, ninguém ficou surpreso. Ao sair do estúdio, minha equipe simplesmente disse: "Marcelo, que maravilhoso!".

Dias depois, um dos meus chefes, no meio de outra conversa, me disse casualmente: "Ah! Quando você falou sobre o seu namorado no jornal, uma amiga me mandou mensagem dizendo que achou o máximo. É isso aí, temos que normalizar!".

Quando me refiro a essa postura, tenho que me lembrar do ator Paulo Gustavo e agradecer a ele. O filme *Minha mãe é uma peça* me ajudou a contar para minha mãe. Quando falei isso na TV, todos souberam ou tiveram certeza de que sou gay. E fiz isso sem planejar nada. Foi a plenitude da liberdade.

Mas se não teve nenhuma surpresa interna, houve uma grande repercussão em sites, jornais, revistas e programas de TV. E isso me alegrou muito. Recebi mensagens de primos, primas, tias... dizendo: "Quando vier ao Rio Grande, traga teu namorado aqui em casa". "Celo, bora ser feliz." "Primo, que orgulho tenho de ti."

Hoje, meses depois, vejo que eu precisava disso. Eu precisava gritar ao mundo "eu sou gay".

Eu não acho que minha profissão seja tão diferente

da sua. Tenho chefes, obrigações, metas, carga horária, tudo igual a outro trabalhador. Mas minha profissão me expõe, e por uma escolha minha.

Então sempre havia aquela dúvida: "Esse cara aí da TV, é viado? É gay?".

Sim, sou gay! E tá tudo bem! Se tá tudo bem pra mim, obrigatoriamente deve estar para você também. O gay aqui sou eu! Então, isso é o que importa para mim.

E é sobre isso que quero conversar com você ao longo deste livro.

Quero te mostrar que nós, LGBTQIA+, estamos aí espalhados, somos o que quisermos ser. E que "Talvez você seja" não mais um de nós, mas preconceituoso e não saiba.

CAPÍTULO 1
NÃO É DOENÇA

Não sei se foi minha condição social na infância, família de classe C/D. Não sei se foi a falta de informação. Só tínhamos uma televisão com aquela antena externa que em dias de chuva saía do ar. Não sei se foi a falta de estudo dos meus pais, que tiveram que trocar a escola pelo trabalho ainda na infância. Não sei se foi o instinto protetor da minha mãe. De alguma forma, ter crescido em uma família com essas características me preservou. Preservar é diferente de ajudar. Desde muito novo eu sentia atração por homens. Isso era claro. Mas o padrão de todo menino ser exatamente menino e de toda menina ser exatamente menina, no ambiente em que fui criado, nunca levou meus pais a me forçarem a nada. Claro, a criança dá sinais, eu com certeza dei muitos sobre minha sexualidade. Neste não notar ou não admitir dos meus pais, hoje vejo que fui preservado. Nunca fui visto como diferente, doente. Lembro-me de uma infância como a de qualquer outra criança criada no interior do Rio Grande do Sul.

Minha primeira lembrança de ter sido repreendido pelo meu pai foi algo que aconteceu na década de 1980. Morando em um conjunto habitacional, a brincadeira acontecia no meio da rua asfaltada. Só era interrompida por algum carro, mas logo retomada. Eu devia ter uns 6, 7 anos. Pelo menos uma vez por ano era feita a eleição da "garota da quadra": Uma noite qualquer, todos se reuniam na rua. Sentavam-se ao meio-fio para ver as meninas desfilarem. Menino levava refrigerante ou suco de pacotinho; já as meninas levavam pipoca ou bolo. Olha o machismo aí: menina vai para a cozinha, menino não.

Todo evento precisa de ensaio. E foi aí que meu pai me "pegou". Ele trabalhava o dia todo como operário em uma indústria de fertilizantes. Um dia, chegou em casa à noite e viu pela janela que eu estava no meio da rua, coordenando o ensaio das meninas para o desfile. Dizendo qual caminho deveriam fazer, em que ponto paravam, quando olhavam para a plateia, qual a ordem de entrada na "passarela asfaltada". Imediatamente, gritou: "Marcelo passa pra dentro!".

Furioso, me colocou de castigo. Disse que aquilo não era coisa de homem e que eu estava parecendo uma menina no meio da rua. Minha mãe, claro, foi a culpada, acusada de não ver, não impedir, não corrigir. "Passo o dia trabalhando e, quando chego em casa cansado, tu tá no meio da rua parecendo um viado", disse ele, mais ou menos com essas palavras.

Claro, fiquei assustado, espantado e fui para o quarto chorar. Mas eu era só uma criança, não me importei com o que os vizinhos pensaram ou se alguém notou. Só fiquei chateado porque, naquele ano, não estava lá no meio da brincadeira. Tive que assistir à escolha da "garota da quadra" pela janela do quarto.

Ao longo da infância, adolescência e depois de adulto, eu sinceramente nunca me perguntei se sentir atração por outros homens era uma doença. Jamais passou pela minha cabeça. Nunca associei minha sexualidade a uma doença. Não tenho nenhuma lembrança nesse sentido, nem mesmo nos momentos de maior introspecção.

Mas nem sempre é assim. Há crianças e adolescentes LGBTQIA+ que são diagnosticados pelos próprios pais como doentes, desvirtuados, problemáticos. E sabemos aonde isso muito vezes vai parar: no médico. É comum jogar essa responsabilidade para os profissionais da saúde, como se fosse uma doença. Mas os médicos não tratam homossexualidade. Ninguém trata. Nem médico, nem psicólogo, nem psiquiatra. Muito menos padre, pastor, pai ou mãe de santo.

Definitivamente aprenda e repita comigo: homossexualidade não é doença. Não existe cura gay.

DEZ ANOS

Vou te contar a história do Winicius Pires. Menino da roça do interior de Goiás que, aos 17 anos, sentindo os primeiros desejos por outros homens, se culpando por pertencer a uma religião que condena e expulsa os homossexuais, recorreu à prima. Pediu que perguntasse à psicóloga dela se o aceitaria como paciente para deixar de ter atração por outros homens. Começava aí um longo caminho de dez anos!

"Lógico que a gente tinha consciência de que ela não poderia oferecer esse serviço. Tinha consciência, mas eu pedi para que me ajudasse e ela topou. Veio com algumas teorias que a gente já conhece. Como a da mãe que às vezes deseja uma menina e nasce um menino. E por isso a tendência em ser gay."

Os encontros semanais, ao longo de um ano, não surtiram efeito. Winicius então se mudou para São Paulo, onde ficou por quase dois anos. Estudando em uma escola religiosa, continuou pressionado, tentando reprimir os desejos e comportamentos homossexuais.

Voltou para Goiás. Abandonou a religião. Conheceu um rapaz e casou-se até no cartório. Teve festa na pizzaria da cidade para cinquenta convidados. Dois anos depois, quis novamente tentar. Acabou o casamento, voltou para a religião e encontrou na internet apoio em um grupo chamado "Libertos por Deus". Formado por "ex-homossexuais" ou pessoas que queriam deixar de ser. Como se fosse possível.

"Lá eles diziam que a gente tinha que mudar e ter relações com mulheres. Independentemente da crença e das regras da religião."

Não se convenceu. Insatisfeito, trocou esse grupo por outro, formado e mantido via WhatsApp, e que o levou até projetos que condenam o comportamento homossexual, pregam o seu fim.

"Lá não falavam que eu iria me tornar heterossexual. Não era bem a ideia da cura gay. Tu não vai tomar uma pílula e vai deixar de ser gay. A questão era você deixar de ter o comportamento do homossexual por acreditar que isso não agrada a Deus."

Nessa época, Winicius chegou a dar um testemunho para uma plateia dizendo que havia se tornado um ex-gay.

"Eu fui levado com os olhos vendados. Contei minha história dizendo que tinha abandonado a vida gay. Mostrei duas imagens, uma delas do dia em que me casei com outro homem, e questionei aquelas pessoas: o que elas estavam fazendo para salvar a vida delas, como eu fiz?"

De lá, foi para outro grupo também com a mesma promessa.

"Nesse, eles trabalhavam a questão emocional, os traumas. O que a gente viveu? A ausência do pai, por exemplo. Analisavam toda a história de vida e olhavam onde você perdeu o caminho da masculinidade, qual foi a causa."

Aos 25 anos, Winicius chegou ao limite.

"Me vi num estado depressivo, como a maioria dos meninos do grupo. Pensava: se for para tirar minha vida, eu vou para o inferno de todo o jeito. Então vou atrás de outra solução."

A essa altura, ele tinha até uma namorada.

"Eu vivia uma vida dupla, morava no interior, numa fazenda. Quando vinha para a cidade, eu vivia a minha vida. Como eu queria ser, livre. E, na roça, eu era o rapaz da igreja, com namorada."

Só aos 27 anos abandonou a busca pelo impossível. Decidiu morar sozinho, conheceu outro rapaz e foram morar juntos.

"Por conhecer minha família, na época, eu não quis contar, deixei que os outros contassem. Não neguei. Quando me perguntavam, eu falava que era verdade. Hoje, todos sabem que sou casado com outro homem e aceitam. Até minha avó que ia rezar na minha porta pra eu deixar de ser gay."

Perguntei ao Winicius: "O que ficou em você desses dez anos?".

"Se eu pudesse não ter vivido isso, eu não viveria. Até porque, quando eu olho para trás, me dá muita tristeza. Sensação de dor. Era muito sofrimento que poderia ter sido evitado. E tudo por falta de informação. Mas hoje posso dizer que estou completo porque posso viver minha sexualidade e minha religião."

Observe as palavras do Winicius: sofrimento, tristeza, dor, falta de informação. Imagine você o que é passar dez anos imerso nesses sentimentos. Ele não encontrou a "cura", até porque ela não existe.

"A HOMOSSEXUALIDADE É IMUTÁVEL"

Mas homossexualidade já foi considerada uma "doença", e num passado não muito distante. É importante deixar isso claro neste livro. Precisamos parar de repetir essa barbaridade que até hoje leva muita gente ao sofrimento.

Em 1973, a Associação Americana de Psiquiatria (APA, na sigla em inglês) tirou a homossexualidade da lista de doenças. A Organização Mundial da Saúde (OMS) fez isso em 1990. No Brasil, só em 1999 o Conselho Federal de Psicologia (CFP) proibiu a oferta da "cura gay".

O doutor Drauzio Varella, o médico dos brasileiros, que há décadas estuda a saúde de gays, lésbicas, bis e transexuais, cuidando deles no Sistema Público de Saúde, o SUS, me contou qual era uma das primeiras perguntas que fazia a pacientes LGBTQIA+.

"No começo da aids, quando comecei a tratar muita gente naquela fase, e a grande maioria era gay, eu fazia uma pergunta: 'A primeira vez que você se masturbou foi pensando num homem ou numa mulher?' Essa é uma pergunta íntima que não se costuma fazer. É impressionante: a imensa maioria se masturbou pensando num homem, enquanto o menino heterossexual pensa em uma mulher. Esse é um momento da maior intimidade de você diante de você mesmo e diante de seus desejos."

Concordo com ele, acessando minha memória mais antiga. Fiz essa mesma pergunta para amigos e amigas íntimos. E as respostas que tive foram quase todas no mesmo sentido. Héteros responderam pelo sexo oposto e gays pelo mesmo sexo. Uma pessoa me disse: "Quando era mais novo, alugava filmes de sexo heterossexuais. Mas sempre minha atenção estava voltada para o homem. Eu ainda não me entendia como gay. Isso ainda não passava pela minha cabeça, mas hoje vejo que faz todo o sentido, meu olhar já na época era voltado para o masculino".

Esse exercício de acessar os nossos primeiros instintos e fantasias sexuais, seja lá você homo, hétero, bi, trans... mostra que o desejo é natural, automático. É muito pouco provável que você, lá escondido dos seus pais, trancado no seu quarto, pensasse: *Hoje eu vou desejar um homem para ver como me sinto. Amanhã, uma mulher.*

Pois bem, voltando à "não doença". Se houvesse algum tratamento, técnica, medicamento milagroso, milhares de médicos e cientistas há décadas teriam descoberto. Em uma das obras da psicanalista e escritora Regina Navarro Lins, *A cama na varanda*, ela cita uma entrevista publicada no *Jornal do Brasil*, com o jornalista americano especializado em ciência Chandler Burr, autor de um livro que diz que a homossexualidade é determinada biologicamente desde a fecundação.

"Qual é a conclusão do seu livro?", perguntou o jornalista Renato Aizenman. "A principal conclusão", respondeu Chandler Burr, "é de que a orientação sexual humana, tanto no caso da homossexualidade como da heterossexualidade, é determinada geneticamente antes mesmo do nascimento. Trata-se de uma determinação exclusivamente biológica e não há fator social que possa criar ou mudar. A homossexualidade é imutável."

O que os estudos sempre mostraram é que não há como fazer com que todo homem tenha desejo por uma mulher. E toda mulher tenha desejo por um homem.

"Desejo não se controla", afirma doutor Drauzio Varella. *"Você pode controlar o comportamento. Aqui eu olho para a pessoa, mas ela é mãe de um amigo meu, então eu não vou me comportar mal, não vou adotar uma conduta que vá criar um problema. Mas o desejo é incontrolável. Usei uma imagem uma vez em um artigo que escrevi: o desejo é água correndo pela cachoeira, você não consegue conter o desejo. Ele acontece por uma razão e nós não temos controle sobre ele."*

Existem centenas de artigos, estudos, revisões de estudos que mostram que nunca nenhuma "terapia repartida, terapia reversiva, reorientação sexual" teve efeito. Nunca se comprovou nada, apenas que isso não funciona. Li um texto de uma das revistas cinetíficas mais importantes, Nature, que fazia uma revisão do que existe de biologia publicada a respeito da homossexualidade. O artigo não tem nenhuma palavra sobre comportamento, só sobre biologia, o que acontece desde a fecundação do óvulo, como acontece a diferenciação, porque todos nós nascemos hermafroditas, a diferenciação para testículo e ovário que acontece somente por volta da oitava semana, e a partir daí o testículo produz mais testosterona, embora produza progesterona e estrogênio também, e o ovário produz mais estrogênio do que progesterona, mas também produz testosterona.

Há ainda a influência desses hormônios todos combinados com o que acontece durante a gravidez. Isso tudo é de uma complexidade incrível. Existe uma linha tão tênue entre a separação do sexo masculino e do feminino que o artigo termina questionando: "Depois de toda essa discussão, que critério nós devemos usar para definir a sexualidade?".

E aí você pode pensar que esse papo de "cura gay" é da década de 1990, que isso é passado e que hoje em dia ninguém mais cai nessa. Engano seu. Anteriormente já te contei a história do Winicius, agora vou te contar a do Jean Ícaro. Durante dois anos, Jean Ícaro escreveu sua tese de mestrado, cujo estudo virou um livro, com o título *Cura gay*. Ele explica o porquê:

"O título do livro já é uma forma de se posicionar. Quem diz cura gay acha que se trata de uma doença. Vocês querem tratar a pessoa como se ela tivesse algum transtorno? Na verdade, não tem. Cura gay é um termo bem pejorativo". Jean, gay, foi vítima de um desses supostos tratamentos. *"Eu sou um homem gay e, durante a adolescência, fui submetido a uma terapia de conversão. E isso me inspirou a buscar informações. Porque muitas outras pessoas LGBTQIA+ contavam: cheguei à terapia, conversei e busquei apoio e, quando vi, estava passando por alguma coisa para ser convertido."*

Para a pesquisa, Jean entrou em contato com os conselhos regionais de psicologia e chegou a 692 psicólogos, todos com registros ativos, que oferecem a "terapia reparativa".

Que fique bem claro: desrespeitando a resolução do CFP de 1999. Portanto, esse tipo de oferta é proibida no Brasil. Mesmo assim, há profissionais no mercado oferecendo o serviço. Não há anúncios diretos em letras garrafais: "Atenção, atenção! Aqui temos a cura gay!". A oferta vem quase sempre disfarçada e embutida em outras questões.

Por inúmeros motivos, dentre eles a sociedade preconceituosa, as pesquisas mostram que pessoas LGBTQIA+ tendem a ter mais problemas de autoestima, depressão e transtorno de ansiedade. É disso que alguns psicólogos se valem para começar a tentativa de "cura". Jean constatou que um em cada três psicoterapeutas, quando é o desejo do paciente, se propõe a fazer terapia de reorientação sexual. E quando esse não é um pedido do paciente, mesmo assim, um em cada nove psicoterapeutas está disposto a isso. Um dos caminhos é a técnica da interpretação.

"Eles sempre dizem que, pelo fato de a pessoa ter um estilo de vida LGBTQIA+, provavelmente está manifestando um sintoma psicológico. Assim eles encontram um jeito de acabar motivando a pessoa ao suposto tratamento", explica Jean. E essa é a forma leve, sútil. Há psicoterapeutas que vão muito além. Dizem para o paciente se masturbar desejando o sexo oposto, ter comportamentos heterossexuais. Apagar qualquer lembrança associada à homossexualidade.

"As técnicas mais absurdas para mim são: treinamento de habilidades heterossexuais, que é quando se ensina a pessoa a desenvolver habilidades, comportamentos, jeitos que sejam associados ao estereótipo do que é ser homem e o que é ser mulher. Um homem é ensinado a ter um tom de voz mais grave, a gesticular pouco. Estimulam até que se tenha relações sexuais com garotas de programa. Outra [técnica] se chama recondicionamento masturbatório. É quando você propõe, por exemplo, para uma mulher lésbica, tentar se masturbar assistindo a um filme pornô heterossexual. Tente estimular ao máximo esse lado. E tem ainda aquele que leva a pessoa a abandonar esse estilo de vida. Até com momentos simbólicos, como cortar uma foto antiga sua e botar fora todas as coisas da sua vida LGBTQIA+ para que haja um divisor de águas."

Jean ouviu esses relatos de pacientes e de psicanalistas, entre os anos 2017 e 2018. Foi inclusive em 2018 que o juiz federal Waldemar Claudio de Carvalho, da 14ª Vara Federal no Distrito Federal, autorizou psicólogos a tratarem pessoas LGBTQIA+ como doentes, em terapias de reversão sexual, contrariando o entendimento do CFP.

Em 2018, na reclamação que o CFP apresentou ao Supremo Tribunal Federal (STF) sobre essa ação, o conselho lembra a resolução de 1999 em que diz: "não cabe a profissionais da Psicologia no Brasil o oferecimento de qualquer tipo de terapia de reversão sexual, uma vez que a homossexualidade não é considerada patologia, segundo a Organização Mundial de Saúde (OMS)".

E deixa claro: "Em um país que desponta na quantidade de pessoas assassinadas por orientação sexual, não cabe à Psicologia brasileira a produção de mais violência, mais exclusão e mais sofrimento a essa população estigmatizada ao extremo. A Psicologia brasileira não será instrumento de promoção do sofrimento, do preconceito, da intolerância e da exclusão".

Em abril de 2019, a ministra Cármen Lúcia, do STF, determinou em liminar a proibição da terapia de reversão sexual no Brasil.

CAPÍTULO 2
PRECONCEITO

Quando você leu pela primeira vez o título deste livro, *Talvez você seja*, provavelmente deve ter pensado: *Talvez eu seja o quê? Talvez eu seja gay? É isso que este livro está me perguntando?* A ideia é exatamente esta: te instigar, provocar, despertar algo. Não sobre sua sexualidade, não tenho nada com isso, mas sobre seu comportamento.

Sim, talvez você seja LGBTfóbico! E isso pode ser identificado facilmente, com um simples exercício mental. Me responda, com a voz do seu pensamento falando só para você. Ninguém está ouvindo, só você mesmo: você, homem hétero, se sente completamente confortável ao ser visto em um restaurante, na rua, na academia, apenas você e um amigo gay? Você, mulher hétero, se sente à vontade ao ir ao shopping com uma amiga lésbica?

A maioria vai responder que não, sejamos bem honestos. Um homem hétero, ao ser visto na companhia de um gay, acha que os outros vão pensar: *É gay também.* Esse exercício é simples, assim como vários testes que encontrei na internet durante a pesquisa para este livro. Veja as perguntas mais comuns:

- Quando alguém fala que é LGBTQIA+ você compreende naturalmente?
- Fica distante ou desvia o olhar quando há um LGBTQIA+ no mesmo ambiente?
- Se distancia de amigo(a)s ao saber que são LGBTQIA+?
- Você contrataria um(a) funcionário(a) LGBTQIA+ para trabalhar na sua casa?
- Você vai a uma festa de aniversário de um amigo gay sabendo que 90% do público é LGBTQIA+?
- Já ficou incomodado(a) com um homem afeminado ou uma mulher masculinizada?
- Quando contam piadas de gays, você acha engraçado?
- Um LGBTQIA+ é agredido no parque perto da sua casa. Você entende que a culpa foi dele, pelo próprio comportamento?
- Ao ver casais LGBTQIA+ de mãos dadas, fica incomodado(a)?
- O filho de 8 anos do seu melhor amigo quer fazer aulas de balé. Você incentiva ou acha errado?
- Já usou termos como viado, sapatão, bicha, machona para se referir a uma pessoa LGBTQIA+?
- Entende com naturalidade que dois homens peçam cama de casal em um hotel?

- Um homem transexual se apresenta para você com o nome masculino. Você compreende ou pergunta: "Mas qual é seu nome verdadeiro de mulher?"?
- A pessoa te diz que é bissexual, e você pensa: *É gay, mas não quer confessar?*

Possivelmente você respondeu sim para muitas perguntas. E, claro, não precisaria nem te falar, você já percebeu. Esses pensamentos são preconceituosos! E estão aí, acomodados em você. Os questionamentos que te fiz possivelmente levaram você a recordar situações e conversas no trabalho, na escola, no bar, em festas e até em encontros de família.

A TENDÊNCIA DE DISCRIMINAR!

Angelo Brandelli é psicólogo, doutor e professor da PUC-RS e estuda psicologia social, o preconceito dos agressores e o impacto na vida das vítimas. Ele define o que é preconceito. *"O preconceito é uma tendência psicológica. Muita gente desmerece o preconceito porque a gente não enxerga ele. A gente não vê o preconceito, a não ser quando ele está se manifestando na forma de discriminação. Porque preconceito é esta tendência que a pessoa tem a discriminar, ao fazer alguma coisa negativa. Como falar algo porque é gay ou lésbica. Aí a gente enxerga quando acontece a discriminação, mas o preconceito já tá dentro da cabeça da pessoa. Esse preconceito é uma crença, é algo que foi aprendido, ele é algo que não foi coibido."*

É de crenças assim que precisamos nos desfazer, como a de que, por exemplo, quem anda com gay é gay. Pensamentos assim magoam e machucam seu(sua) amigo(a), irmão(a), colega de trabalho, vizinho... gay, trans, bissexual. É comum uma pessoa LGBTQIA+ esconder sua sexualidade com medo de sofrer preconceito, rejeição, discriminação. Posso garantir que mesmo depois de adulto, me sustentando e dono de mim, centenas de vezes não falei "sou gay" por ter certeza de que imediatamente seria alvo de preconceito.

Eu me lembro de uma viagem a trabalho. Depois de um dia cheio, todos foram jantar. Só homens. Precisava ligar para o meu namorado, dar notícias, contar como tinha sido o dia, a perspectiva de voltar pra casa. Quando pedi licença para fazer a ligação, logo ouvi: "Vai ligar para o namorado?". E todos gargalharam. Ninguém ali sabia que eu tinha um namorado. Todos partiam do pressuposto de que eu tinha uma namorada, como eles. E, claro, fizeram uma piada descabida. Dei um sorriso sem graça e fui para bem longe, para ninguém ouvir a conversa. E na volta ainda ouvi: "Deu boa noite para o bigodudo?". Mais uma vez, sorri sem graça e troquei de assunto. Nessa época, eu já tinha mais de 30 anos. E ainda não conseguia reagir, me posicionar. Ainda não tinha segurança para dizer: "Sim, tenho um namorado, qual o problema?".

Hoje tenho um comportamento oposto. Falo do meu namorado na primeira oportunidade que tenho. No fundo, acho que é uma defesa, assim evito qualquer intenção de um comentário que me incomoda. Uma situação como essa, que, para você, hétero, seria apenas um jantar com os colegas depois de um dia inteiro de trabalho, para mim foi marcante. Mais de dez anos depois, ainda lembro a cidade, quem estava à mesa e o incômodo que foi ficar ali, fingindo algo que não sou. O que deveria ser um momento leve acabou colocando mais tijolos no enorme muro que já existia à minha frente. O muro do preconceito. O muro que por anos me impediu de viver plenamente.

JC - 29 anos *"Eu perdi vários amigos na adolescência depois que contei que era gay. Foi curioso. Lembro exatamente que, logo depois de me assumir, a maioria não aceitava mais meus convites para sair. Sempre tinham uma desculpa. Levei um tempo para perceber que a desculpa, na verdade, era eu mesmo. Ser visto na minha companhia, na cabeça deles, iria colocá-los com gays também."*

MPC - 37 anos *"Ao sair do armário, depois dos 30 anos, tive que refazer meu círculo de amizades. Algumas das minhas amigas, na época, diziam em tom de brincadeira: 'Não vai querer me pegar, né?! Nunca mais fico pelada na sua frente'. Aos poucos, me distanciei, mas o bom é que restaram as amigas de verdade, que vou carregar pra sempre."*

É impressionante como algumas pessoas ainda se incomodam com a presença de um LGBTQIA+. As atitudes, os olhares, o afastamento me dão a sensação de que está escrito na minha testa: "Sou gay". Tenho amigos, parentes, colegas de trabalho... Homens héteros raiz do meu convívio diário que gostam de beijar e namorar mulheres, transar e até casar com elas. Várias vezes já saímos para almoçar, jantar, nos encontramos na casa de amigos e colegas de trabalho. A companhia deles nunca me despertou o desejo por mulheres. Então não é a companhia de um(a) amigo(a) gay que vai te fazer gay. Não é porque você senta à mesa de um restaurante com um LGBTQIA+ que vai sair dali beijando pessoas do mesmo sexo. O seu interesse pelo sexo oposto vai continuar exatamente igual.

Esses comportamentos, em parte, são uma consequência do que os psicólogos chamam de educação antipreconceito. Se, para você, esse é um termo novo, está na hora de dar uma pesquisada. Ele existe há mais de cinquenta anos. O caminho dessa educação antipreconceito é mostrar, desde sempre, em casa, na escola, na família, que existem grupos diferentes que precisam ser respeitados e aceitos exatamente como são. Não é preciso ser um professor ou um psicólogo. Basta informação. Na era da internet, uma pesquisa no Google resolve isso em poucos segundos. Mas eu, Marcelo, não te condeno por pensar assim, peço apenas que reflita. Veja se realmente faz algum sentido se importar com o julgamento de outras pessoas e deixar de conviver e compartilhar importantes e bons momentos com irmão(ã), amigo(a), colega de trabalho, filha(o), conhecido(a) homossexual, trans, bi... É a velha máxima: tempo passado não volta. Temos que desfazer o que ouvimos na infância (e infelizmente ouvimos até hoje), e que muitas vezes repetimos, como o tal do azul para menino e do rosa para menina, da boneca e da bola. Quantos meninos você conhece que ganharam dos pais bola de futebol, chuteira, uniforme, caminhão, carrinhos e que hoje são gays? Ou aquela menina que vivia de vestido, roupas cor-de-rosa, laço no cabelo, ganhando bonecas, casinhas, que aos 5 anos entrou no balé e é lésbica? Não é a companhia ou a insistência que faz um LGBTQIA+.

QUANDO COMEÇA...

Os primeiros ataques, as primeiras piadas, as violências, a exclusão, o sofrimento... começam na escola. E é injusto porque toda criança adora ir para escola. É lá que fazemos os primeiros amigos e amigas e, às vezes, os carregamos pela vida toda. É da escola que a gente leva e traz as melhores histórias vividas durante anos. Imagine o trauma de um menino de apenas 6 anos ao escutar de um colega: "Tu é viado!". Ou, quando a menina escuta das colegas: "Sai daqui, você não parece menina!". Esses ataques verbais, ainda na infância, nos marcam para o resto da vida. Posso garantir porque comigo foi assim. É o início de um caminho longo e solitário para quem sofre e coletivo para quem ofende. Os que se consideram "iguais" se juntam para debochar, rir, implicar, excluir. O menino não é escolhido para o time de futebol. A menina não é chamada para brincar de boneca, muito menos para dormir na casa das amiguinhas. Vamos sendo abandonados, mesmo sem ter ideia de que isso é preconceito.

Quem não nos abandona é o bullying, em uma idade em que nem nos conhecemos por completo. Eu passei por isso, você, LGBTQIA+ que está me lendo, provavelmente também, e você, heterossexual, possivelmente praticou. E não me venha com: "Ah, mas é coisa de criança, estão brincando". Não, não é! São os apelidos maldosos, o deboche no jeito de falar ou andar, as ofensas, as ameaças que logo se materializam. O próximo passo são chutes, tapas, empurrões, humilhações e até agressões. Quantas vezes eu apanhei de um colega? Quantas vezes fui chamado de viado? Quantas vezes debocharam de mim? Perdi as contas. E eu, menino magrelo, franzino, apenas me escondia. Minha memória não é assim tão boa, mas me lembro claramente de nunca ter brigado na escola. E sabe por quê? Porque tinha medo de apanhar. Era claro que os outros meninos que me batiam, me provocavam, me chamam de viadinho... eram maiores que eu. Eram os "machões", os brigões. Como eu iria encará-los? O que eu fazia? Nada! Absolutamente nada. Até porque era uma luta solitária, ninguém me defendia. A única saída era me fechar, não reagir. Para não ficar tão humilhado, quando levava um tapa ou um chute, enquanto todas as outras crianças riam, eu dizia: "Não doeu". Mentira, claro, mas uma mentira que me salvava de humilhação completa. Minha defesa era fingir.

Lembro que, na escola, aos meninos excluídos cabia se aproximar das meninas, e a maioria era acolhida. Mas aí mesmo é que passavam a ser chamados de mulherzinha, vistos como uma menina. Isso foi lá nas décadas de 1980 e 1990. Mas, pelo que andei ouvindo e lendo para escrever este livro, pouco mudou até hoje. Esse comportamento continua se repetindo. E precisa ser abandonado. Em 2015, a Pesquisa Nacional sobre Estudantes LGBT e o Ambiente Escolar, feita no Brasil e em outros cinco países na América Latina, mostrou que o Brasil já tinha os maiores índices de desrespeito aos estudantes LGBTQIA+. As perguntas foram feitas pela internet, em parceria com a Associação Brasileira de Lésbicas, Gays, Bissexuais, Travestis e Transexuais (ABGLT). Foram ouvidos 1.016 estudantes de todo o Brasil, com idades entre 13 e 21 anos, que frequentaram o ensino fundamental ou médio no Brasil durante o ano letivo de 2015, e se identificam como lésbicas, gays, bissexuais, ou que tenham uma orientação sexual diferente da heterossexual. Veja alguns dados:

- 62% se sentiam inseguros(as) na escola no último ano por causa de sua orientação sexual.
- 43% se sentiam inseguros(as) por causa de sua identidade/expressão de gênero.
- 48% ouviram com frequência comentários LGBTfóbicos feitos pelos colegas.
- 55% afirmaram ter ouvido comentários negativos especificamente a respeito de pessoas trans.
- 73% foram agredidos(as) verbalmente por causa de sua orientação sexual.
- 68% foram agredidos/as verbalmente na escola por causa de sua identidade/expressão de gênero.

- 27% dos(das) estudantes LGBTQIA+ foram agredidos(as) fisicamente por causa de sua orientação sexual.
- 25% foram agredidos(as) fisicamente na escola por causa de sua identidade/expressão de gênero.
- 56% dos(das) estudantes LGBTQIA+ foram assediados(as) sexualmente na escola.
- 36% acreditaram que foi "ineficaz" a resposta dos(das) profissionais para impedir as agressões.

E é isso que precisamos mudar. Seis em cada dez estudantes LGBTQIA+ têm medo de ir para a escola. Metade já ouviu comentários maldosos. É disso que estamos falando.

Marcelo Silva fez doutorado e pós-doutorado em Educação, voltado para a escola inclusiva. Ele queria entender a falta de acolhimento das crianças, fossem elas LGBTQIA+ ou com alguma necessidade especial. Percorreu escolas. Conversou com crianças e professores. E logo de cara identificou que as escolas dividem, ao invés de unir. Professores repetem automaticamente atitudes que segregam e excluem. Por exemplo, ter brinquedos e brincadeiras separado para meninos e meninas, ter filas para meninas e para meninos, dividir a turma em meninos de um lado e meninas em outro. Como formador de professores, Marcelo acredita que não é preciso esperar o interesse das crianças para abordar temas como raça e sexualidade. Defende que é papel do professor levar a discussão para a sala de aula e mudar. *"A gente vê que quando planta informações nas crianças, elas chegam na família. A gente vê claramente isso com relação a água, separação de lixo, meio ambiente. Então, as escolas precisam estar atentas e serem inclusivas, para que essas crianças tenham uma nova consciência. Sejam crianças, adolescentes e adultos que saibam conversar com a diversidade."*

JÁ SOMOS ADULTOS...

Esse preconceito vivido na escola se perpetua e acompanha a maioria das pessoas pela adolescência, pela fase adulta. É quando passamos a ouvir expressões preconceituosas como: **"fala, viado"**, **"chega aí, viado"**, **"que cara é essa, viado?"**. Essas conversas normalmente são entre héteros, tenho certeza de que eles não são gays e que não vão passar a ser por ouvirem ou falarem isso. Mas ali perto, na mesma sala, bar, restaurante pode ter um "viado" que, sim, vai ser atingido em cheio. Porque o ser "viado" aqui é falado como algo inferior. Quando você diz: **"vira homem"**, você quer dizer: "para com isso, muda de opinião, de atitude". Mas usa uma expressão preconceituosa e agressiva, que ataca o gay gratuitamente e menospreza o feminino. Ao dizer **"coisa de gay"**, você quer dizer "coisa errada, coisa de mulher, coisa menor, de menos valor". Isso é preconceito puro!

Toda vez que ouço alguém repetir essas expressões perto de mim, e ouço muito, mesmo que todos saibam que sou gay, paraliso por alguns milésimos de segundo. Fico sem graça, meio envergonhado. Instantaneamente penso: "Sou errado, sou estranho, sou diferente, sou gay". Mas tal como vem, rapidamente esse pensamento se desfaz e constato que é a fala preconceituosa. Antes, me calava, entrava na suposta "brincadeira" e trocava de assunto. Hoje, não mais. Seja quem for, com educação digo: "Me desculpe, mas essa sua fala é preconceituosa, não foi legal o que você disse". Escuto: "Foi sem querer, nem lembrei que tu é gay, nem vi que tu estava aqui. Desculpa aí". Respondo: "Desculpa, mas, 'nem vi que tu estava aí' só piora a situação. Isso é preconceito repetido na frente ou nas costas de um LGBTQIA+". Tenho paciência, falo sempre com muita educação. Por mais que estejamos no papel de vítimas de um ataque, ainda entendo que é preciso explicar. Desde que isso seja calcado na educação. Que o "autor" da fala também seja educado e disposto a ouvir.

Ouvir falas preconceituosas não é confortável, nem agradável. Elas machucam. Às vezes são ditas em uma roda de conversa superanimada, em um encontro feliz, em uma confraternização, uma celebração... Essas falas entram pelos nossos ouvidos, mas a sensação é de um soco no estômago. Uma paralisia imediata. Um quebra clima total. Mas aí você me diz: "Não fiz por querer, foi automático, brinco assim com meus amigos há anos. Nem vi que tinha um gay por perto". Pois é. Então está na hora de nos notar. Já te falei lá no início do livro. Estamos aí, espalhados. E ouvindo!

O psicólogo Angelo Brandelli nos ajuda mais uma vez. Ele retoma o estudo feito pelo psicólogo americano Gordan Naubartam sobre o holocausto e o preconceito. Décadas depois, o modelo permanece muito parecido. *"Começa com piadinhas de mau gosto, quando você coloca a pessoa em um lugar inferior. Ela é aquela pessoa que pode receber a piada, que não merece consideração, a não ser na forma de humor muito negativo. Se não for coibido, isso vai evoluindo para rechaço verbal, uma violência verbal. E vai evoluindo até para uma violência física."*

Já contei que sou uma pessoa paciente, tento ser educado. Mas confesso que não tenho mais paciência para o papo clássico: **eu respeito, mas não entendo**. Me permita, e com todo o respeito: respeito é o cacete! Nenhum LGBTQIA+ está em busca de aprovação. Ninguém é ou não é LGBTQIA+ porque o outro aprova ou desaprova. Você respeita o que diz respeito a você. Com o que diz respeito a qualquer outra pessoa, você e eu, não temos nada com isso. Imagine eu te dizendo: "Eu respeito teus olhos castanho-escuros, mas não entendo por que você nasceu com eles". "Eu respeito tua pele clara, mas não entendo por que você nasceu assim." Com toda a propriedade, você vai me dizer: "Não estou nem aí se você entende ou não. O olho é meu, a pele é minha!".

Não é questão de respeito. É de aceitação.

Uma fala do doutor Drauzio Varella sobre preconceito e aceitação ficou muito conhecida: *"Se seu vizinho divide a cama com outro homem, se sua vizinha é apaixonada pela colega do escritório, que diferença faz pra você isso? Se faz diferença, vai procurar um psiquiatra, porque você não está legal. Que cabeça você tem, que fica incomodado com uma coisa dessas? É a vida dos outros, você tem alguma coisa com isso? É porque o casal divide a cama, um casal de homens? E se for um casal de mulheres, te atinge do mesmo jeito? Essa é a realidade: essa coisa do preconceito está sempre ligada à ignorância, em primeiro lugar, e ao autoritarismo, em segundo".*

Outras falas preconceituosas que detestamos ouvir são: **"Você é gay? Nossa, que desperdício!"**, ou **"Você nem parece lésbica, eu até te pegaria. Se tiver namorada melhor, pego as duas"**. Lamento informar, meu caro amigo, minha cara amiga: não há desperdício algum. Sabemos muito bem aproveitar uns aos outros. Até porque, acabei de te lembrar, tem LGBTQIA+ para todo o lado, no mundo todo. Há até quem ouse dizer que o mundo é gay. Sim, a gente se pega, se beija, se ama, se satisfaz, se casa, forma família, tem filhos. Faz tudo que os héteros também fazem; sendo assim, desperdício zero! Ou melhor, prefiro: 100% de aproveitamento. Então, não seja desagradável, desrespeitoso, não diminua um LGBTQIA+.

Lembro-me bem de um episódio que aconteceu comigo há uns três anos. Voltei a um antigo local de trabalho, e não via meus ex-colegas havia mais de dez anos. Todos lá, no meio da roda de conversa, e uma moça me agarrou sorridentemente e disse: "Gente, esse homem lindo, gostoso, que desperdício!". Respondo: "Não há desperdício algum aqui, fique tranquila que estou sendo muito bem aproveitado e sei bem aproveitar". Ela: "Desculpa, estava brincando". Eu: "São brincadeiras assim que diminuem os gays. Você acha mesmo que gays não têm satisfação, só os héteros?!". Ela fez cara de pastel. Logo, outra colega fez o famoso "deixa disso" e trocou de assunto. Lição! Posso te garantir que a tal moça não vai mais repetir essa fala.

Aí vem outra pergunta: **"Mas precisa se beijar em público?"**. Mais uma pergunta equivocada. Afinal, o que você tem a ver com o beijo de outras pessoas? Mas, claro, essa pergunta é frequente e vou responder. Precisa! O "beijo gay em público" não é para te afrontar, desrespeitar, peitar a sociedade, causar espanto. O beijo LGBTQIA+ em público tem o mesmo sentido do beijo hétero. Ninguém beija outra pessoa pensando: "Eu, lésbica, vou beijar minha namorada aqui só para ver a cara das pessoas, as reações, os olhares de julgamento". Esqueça isso! É uma grande bobagem. O beijo LGBTQIA+ é um beijo comum, um beijo com sentimento, uma manifestação de afeto, carinho, amor. "Ah, mas não estou acostumado com isso!" Então se acostume. Eu me acostumei com seu beijo hétero e não me incomodo com ele.

Vou te ajudar. Se você vir um casal de mulheres ou de homens se beijando, não precisa desviar o olhar, ficar incomodado, sair correndo. Encare a situação, faça com que passe a ser natural. Aceite. Essa é uma batalha apenas sua, com você mesmo. Não julgue. Não diga: "Mas precisa disso?". Lembre-se, você beija seu(sua) namorado(a) sem qualquer constrangimento. E ai de você se chegar ou sair sem dar um selinho que seja, pois logo escuta: "Ei, psiu, cadê meu beijo???". Então, não seja LGBTfóbico. Encare como verdadeiramente é. Um beijo. E um beijo igual ao seu, com amor, carinho, respeito, cumplicidade!

BM - TRANS - 25 anos *"Uma vez dei um selinho no meu namorado dentro do carro, ao me despedir. O cara que estava no carro ao lado, parado no semáforo, começou a gritar: 'Seus viadinhos, que vergonha. Se é meu filho eu mato. Filhos da puta!'. Eu desci do carro, com todo mundo na rua me olhando. Fiquei muito constrangido. Afinal, não estava fazendo nada de mais. Só fui me despedir de quem eu amo e dentro do carro."*

PRECONCEITO INTERNO

Nós, LGBTQIA+, também já tivemos ou temos atitudes preconceituosas. Eu tive inúmeras, mas faço um exercício diário para não as repetir. O último conflito que tive comigo foi sobre a falta de amigos afeminados, drags e trans. Um dia qualquer, parei para observar uma reunião de amigos e constatei que fazia parte de um gueto. Todos tinham o mesmo porte físico, a mesma cor, o mesmo corpo, os mesmos papos, a mesma condição social. O que fiz? Fui me informar para saber como vivem outros guetos. Achei séries de TV ótimas que nada têm a ver com o meio gay em que estava inserido e a que estava acostumado. Desmistifiquei preconceitos estabelecidos e hoje tento me aproximar de outras comunidades, dentro do mundo LGBTQIA+.

Te contei isso para narrar a história do Adriano Ayres. Ele passou por tudo que uma criança LGBTQIA+ afeminada passa. Bullying na escola, piadas e deboches na rua. Mas sempre contou com o apoio da mãe.

Estilo mãe leoa, não aceitava que o filho fosse maltratado na escola, na rua e muito menos dentro de casa. Saía em defesa de Adriano, aonde quer que fosse. Foi ela quem atendeu o pedido do filho, quando ele tinha 4, 5 anos para fazer balé, e deixava o Adriano brincar de boneca. O que era um escândalo para quem morava em uma cidade do interior de Minas Gerais. Foi essa mãe que um dia reuniu a família e disse ao marido e ao outro filho: "Adriano é gay. Ele vai sofrer muito preconceito lá fora, isso é inevitável, mas ele não pode sofrer preconceito aqui. Dentro de casa vamos dar todo o apoio para ele, e vai ser quem ele quiser ser".

A vida exigiu dele coragem. Ouviu piadas, julgamentos e preconceitos. Mas veja só: Adriano, que desde sempre se entendeu como gay, que já foi alvo de todo tipo de preconceito e julgamento, um dia se percebeu preconceituoso. Como gestor de uma empresa, Adriano tinha que preencher uma vaga. Os responsáveis pelas entrevistas e análises dos currículos chegaram a quatro pessoas. Classificaram três com nota 6 e uma pessoa com nota 11. A nota 11 era de uma mulher trans. Adriano ouviu de seu diretor: "Não contrato sexo, contrato pessoas talentosas". Mas, para colocar uma mulher trans na empresa, precisou preparar o departamento de recursos humanos, os outros funcionários e até se preocupar em deixar claro que ela usaria o banheiro feminino e teria no crachá o nome com que se identificava.

Você deve estar se perguntando: "Onde está o preconceito nessa história?". Depois de acolher a nova funcionária, Adriano percebeu que se sentia incomodado ao ser visto na companhia da nova colega na empresa. Lembra que essa sensação ficou mais evidente quando saíam para almoçar. Ele, homem gay, que sempre se entendeu assim, percebia os olhares e julgamentos por estar na companhia de uma mulher transexual. Um gay e uma mulher transexual, por quê? O que ele fez? Parou, refletiu e percebeu que estava sendo preconceituoso. Se perguntou: "O que há de errado? Nada! O errado sou eu!". O que Adriano fez? Começou a sair com a colega mais vezes, se experimentar na companhia dela. Queria ser visto na companhia dela. Viu que era um sentimento dele, apenas dele, nunca dela. Percebeu que ali não havia uma mulher transexual, mas sim uma pessoa. Hoje, Adriano é amigo íntimo dela. Dividem noites de vinhos, jantares e bons momentos, quase em locais públicos, como fazem os bons amigos.

E eu te pergunto: o que as palavras aceitação e tolerância significam para você? Esbarrei com um depoimento da moçambicana Graça Machel, a viúva de Nelson Mandela. Para ela, aceitar o outro é você reconhecer o direito de escolha do outro, o direito de "ser quem ele quer ser". E quando a gente reconhece o outro, a gente aceita – e não tolera. A palavra tolerância está diretamente ligada ao sentido de suportar ou até mesmo aturar. Quando alguém diz tolerar algo, é como se falasse que suporta algum acontecimento ou uma presença em especial, como no caso de pessoas LGBTQIA+. Esse significado por si já é suficiente para que desconfiemos de quem fala. Afinal, que pessoa quer ser "tolerada" por ser quem é?

A palavra "aceitação" é um belo exemplo para ilustrar a diferença entre uma pessoa homofóbica e alguém que aceita de fato pessoas LGBTQIA+. Aceitar é receber de boa vontade aquilo que é oferecido. É clara a diferença entre tolerar. Ao aceitar quem sou, você se livra do peso de tolerar minha presença ou até mesmo de respeitar meus direitos básicos, porque se livrou disso quando me aceitou como sou, sem se utilizar de seus juízos de valores ou de suas visões internas. Aceitar é reconhecer que não existe nada anormal em uma pessoa LGBTQIA+, e por isso, sem qualquer dificuldade ou qualquer "mas", posso ser quem sou na sua presença, me sentindo aceito de forma que eu nem sequer precise lembrar que sou um LGBTQIA+ na maior parte do tempo, porque a aceitação torna esse fato completamente sem importância numa relação.

A transformação real e oficial acontece quando você começa a encarar o universo LGBTQIA+ como algo natural e normal. É preciso abandonar as construções sociais e o conteúdo que nosso inconsciente tem sobre a comunidade LGBTQIA+. Se pergunte agora mesmo: "Quero manter minha visão errada sobre um gay, uma lésbica, um trans, uma travesti? Estou pronto para me informar de verdade e mudar minha forma de pensar e agir?". Se respondeu "sim", não faltam conteúdos explicativos, texto, vídeos, fóruns de discussão e livros como este que escrevo. Tudo de fácil acesso, especialmente pela internet, para que você possa desconstruir seus preconceitos.

CAPÍTULO 3
FAMÍLIA

Rosângela Macedo, psicóloga: *"A gente tem um marcador biológico que é muito importante na sociedade, que foi referência por muito tempo, que é essa ideia de que a gente tem que nascer, viver, reproduzir e morrer. A ideia da reprodução e da perpetuação da espécie é muito forte na nossa sociedade. Como homem com homem e mulher com mulher não vão perpetuar a espécie, então está errado, não pode. E isso está no inconsciente coletivo da humanidade, além do reforço religioso sobre tudo isso".*

O beijo entre homens choca. As mulheres de mãos dadas arrancam olhares e cutucadas. O cara afeminado e a moça masculinizada são ridicularizados. O homem ou a mulher transexuais ainda são vistos como seres diferentes. Até a roupa que uma travesti usa causa espanto. Os comportamentos e a sexualidade ainda são bastante julgados e muito mais complexos do que eu ou você, caso não seja um especialista, possamos imaginar. Se para gays, lésbicas, trans, bis, travestis... há um longo caminho para a aceitação individual, imagine só o que há pela frente para a aceitação coletiva. Quer ver?! Enquanto os meninos da rua, do prédio, da escola, os primos começaram a ter vontade de se aproximar das meninas, dar o primeiro selinho... o LGBTQIA+ tá na dele, introspectivo, confuso e sofrendo. Isso com 10, 11, 12 anos!

- É cobrado pelos amigos: "Porra, tu é viado, não gosta de mulher?".
- É cobrado em casa: "E aí, de quem você gosta? Qual é a menina mais bonita da tua sala?".
- É cobrado por aquele tio chato: "Esse aqui vai dar trabalho, vai pegar as gurias todas. Na idade dele, eu mesmo já tinha umas três namoradinhas ao mesmo tempo".
- E é cobrado por ele mesmo: O que há de errado comigo? Por que não tenho vontade de beijar as meninas, vontade de dizer que "gosto" desta ou daquela? O que respondo para essas pessoas? É amigo, pai, primo, tio... até gente desconhecida com aquele discurso machista dizendo: "Não dá mole não, pega todas as gurias que aparecerem na tua frente". E o mesmo acontece com as meninas.

QUE SEJAM FELIZES PARA SEMPRE

Lembro-me claramente de quando quase fui forçado pelos meus amigos de infância a beijar uma menina. Uma parente de alguém que morava na minha rua foi visitar a família. A menina, que não devia ter mais que 15 anos, era mais velha do que eu e cismou comigo. Era alta, mais do que eu e a maioria dos meus amigos. Éramos uns seis ou sete meninos no grupo, mas ela disse que queria me beijar. Logo eu! Eu não estava nem aí para isso. Mas ficaram dizendo. "Vai lá, beija ela. Tu é viado, não gosta de mulher? Bah, não quer beijar a guria!". O que fiz depois de muita insistência? Claro: beijei, sem a mínima vontade. Sem a mínima identificação com aquele momento. Esse episódio tem mais de trinta anos, mas ainda lembro que ela estava com um batom rosa que ficou na minha boca. O que para meus amigos de infância seria um troféu, para mim foi um sacrifício. Sabe o que aconteceu no outro dia? Ela estava de mãos dadas e aos beijos com um dos meus amigos, um daqueles que na véspera tinha me incentivado a beijá-la. Ele sim fez isso por vontade própria e desejo. Qual foi minha reação ao ver os dois? Sinceramente, fiquei aliviado. Desejando que eles fossem felizes para sempre. Isso mostra que, sem escolha, somos empurrados.

Vamos lá, beijamos, namoramos, homens transam com mulheres e as mulheres transam com os homens. Já disse antes: fazemos isso com entrega, com verdade, com sentimento. Mas é tudo incompleto. Por isso, peço mais uma vez para que possamos mentalmente inverter os papéis. Se coloque no lado de cá. Você, homem heterossexual, imagine seu pai, amigo, tio... falando: "E aí, já pegou outro menino?", "E aí, já teve vontade de ver o pinto do seu colega? Tá na hora de ver, tem que começar. Tá na hora de pegar homem". Aposto que você sequer imaginou essa conversa. Essa relação homem *versus* homem nunca fez e nunca fará parte do seu mundo. Pois é, mas é essa pressão psicológica que os LGBTQIA+ sofrem em parte do fim da infância, adolescência e até na fase adulta.

Como estamos aqui para eu te explicar, vou mostrar como você pode fazer sua parte. Não fique com esse papo de namoradinho, namoradinha, pegador, comedor. Isso só causa sofrimento, angústia, medo, afasta. Aí você vai me dizer: "O mundo anda chato demais, não posso falar mais nada com nenhuma criança/adolescente porque o Marcelo acha que todo mundo é gay". Não, não é nada disso. Você, inclusive, deve falar sobre os primeiros relacionamentos homo ou héteros, sim. Sobre namoros, dúvidas – inclusive as sexuais – de seus filhos, filhas, irmãos, irmãs, sobrinhos, conhecidos, filhos dos amigos. Mas, antes, deixe ele ou ela te dar sinais de que quer falar e se está a fim de ouvir. E se quer conversar. Não comece de cara querendo saber se é gay, lésbica, trans, bi... Vá com cuidado. Mas, claro, esteja preparado para saber do desejo dele ou dela.

Os psicólogos aconselham que essa aproximação e busca por confiança seja feita aos poucos, e sempre em um ambiente de harmonia, sem plateia. No café da tarde, na volta da escola, na hora do filme, da novela no sofá... fala algo tipo: "E aí, tá tudo bem? Como anda esse coração? Quer conversar?". Se houver retorno positivo, continue, mas aos poucos, sem invadir a privacidade. Mesmo que seja a privacidade da sua filha, do seu filho. É dele ou dela, não sua. Se houver avanço, não tente entender tudo naquela hora, nem cobrar explicações. É sempre bom ouvir mais do que falar. E aqui também é importantíssimo. Ouça, veja até onde é possível ir. Depois você mesmo deve digerir as informações e retomar o assunto. Demonstre acolhimento, cuidado, carinho. E se a pessoa não quiser falar, respeite. Cada um tem seu tempo. Lembrando que isso vale para filhos/filhas héteros e LGBTQIA+. Estamos falando de sentimento, de desejo, de amor. Isso independe de gênero e sexo.

ACEITAÇÃO DO PAI E DA MÃE

"Ninguém nos ensina. Não tem uma escola para pais LGBTQIA+." Essa frase eu ouvi da Renata dos Anjos, mãe de uma filha lésbica. Renata hoje é coordenadora regional no Rio Grande do Sul do grupo "Mães pela diversidade", uma ONG presente em 22 estados. Vou um pouco além da frase da Renata: assim como não existe uma escola para os pais, não há para os filhos. Você está lembrado? Eu só fui beijar o primeiro homem aos 28 anos. Aos 29, contei para meus amigos. Aos 30, para minhas irmãs. Com quase 35 anos, falei no trabalho.

Para minha mãe, contei aos 37 anos e, para meu pai, só com quase 40 anos... Demorei, relutei, ensaiei e desisti várias vezes, mas o dia chegou e tive que enfrentar a minha família. A sexualidade ainda é tão desrespeitada que não conseguimos ser nós mesmos nem dentro da nossa própria casa, com as pessoas que mais nos amam e que mais amamos neste mundo. Nem no tão falado "porto seguro". Afinal, é automático: quando algo bom ou ruim acontece, corremos pra contar para os nossos pais. Festejamos e choramos com eles. Mas nós, LGBTQIA+, de cara vemos a família como o maior monstro a se enfrentar. A maior batalha, o maior sofrimento. Nada é mais aterrorizante do que a ideia de rejeição dos nossos pais, irmãos, irmãs.

Angelo Brandelli, psicólogo: *"Alguns autores dizem que o grupo LGBTQIA+ é o que mais sofre preconceito. Porque é diferente dos outros, por exemplo, um grupo religioso, um grupo étnico. Neles, você nasce em uma família que normalmente é como você. Uma pessoa negra nasce em uma família negra, e embora essa pessoa sofra um rechaço da sociedade, ela vai ser acolhida pela família. Agora, as pessoas LGBTQIA+ vão surgir enquanto LGBTQIA+ na adolescência, em uma família que normalmente é contra ela. Ela não vai ter nenhum suporte, nem na família, nem na sociedade. Em lugar nenhum."*

O momento em que uma pessoa se revela LGBTQIA+ para a família é um marco. Passa a ser referência de antes e depois. É muito forte para as famílias. Passam-se anos, décadas e quem conta e quem ouve se lembra perfeitamente do diálogo, do cenário, das circunstâncias, de quem estava lá, em que ano foi, na casa de quem, o que aconteceu naquele momento, nos minutos seguintes, nos próximos dias. O contar para a família envolve um antes, durante e depois muitas vezes sofridos.

Veja a história da **MD**: *"Fui violada de diversas formas. Muitas das vezes foi uma violência velada, opressão, e outras vezes foram coisas muito mais explícitas. Sofri de depressão aos 30 anos, mas muito antes sempre tive certeza de que era bissexual. Sofri muito na primeira vez que me envolvi com uma mulher. Eu escrevia em um diário e a minha mãe pegou e leu. Era uma coisa minha, que estava dentro do meu quarto. Passei a ser muito maltratada pelos meus pais e por um dos meus irmãos. Eu sou a terceira filha, tenho dois irmãos. Não sabia que a minha família, tão tradicional, era tão preconceituosa. Pelo contrário: eu achava que fosse muito aberta."*

Provavelmente você já fez ou ouviu estas perguntas: "Sua família sabe? Eles levam na boa? Aceitam?". Essas são preocupações nossas, claro, mas também dos outros. É curioso como as pessoas sempre querem saber sobre a nossa relação com a família. Não há receita de bolo, cada família é uma. Cada história é uma, mas a maioria, no primeiro momento, reage muito mal.

O B.O. CONTRA O PAI E A MÃE

Rodrigo Braga hoje tem 22 anos, e, aos 14, os pais descobriram sua sexualidade. De uma família do interior do estado de São Paulo, viveu momentos horríveis. Apanhou, se escondeu em um banheiro e precisou registrar queixa na polícia contra os próprios pais.

"*Eu tinha dormido fora de casa, sabia que isso era fora da regra. Quando cheguei em casa, eles pediram meu celular, mas no caminho eu já tinha apagado tudo. Minha mãe pediu meu celular e a senha. Ela conseguiu achar um grupo em que eu tinha entrado naquele mesmo dia. E viu algumas coisas, como conversas com homens. Ela foi até o quarto e me deu o primeiro tapa, um tapa de baixo para cima. Me perguntou o que era aquilo, que sem-vergonhice era aquela. Começou uma discussão. Me perguntou por que eu não tinha contado, eu disse que tinha medo. Logo em seguida, meu pai foi no quarto e falou muita coisa. E aí ele começou a me dar sequências de socos. Fiquei assustado e descobri que precisava sair dali. Conhecia histórias de pessoas que já passaram por isso e eu tinha medo do morrer. Comecei a juntar minhas coisas. Minha mãe viu que eu estava arrumando uma mala e avisou meu pai. Ele foi até o quarto e disse: 'Você vai fugir? Então agora que você vai fugir mesmo'. Saí correndo para a cozinha, porque sabia que ele iria me bater bastante. Ele discutiu e pegou a mangueira do chuveiro. E começou a me bater bastante. Me cortou em vários locais do corpo. Eu pedia socorro, gritava muito para alguém me ajudar. Pedi para ele parar porque, nossa, era uma dor insuportável. E como a mangueirinha quebrou no meio, então ela me cortava a cada batida. Eu lembro até hoje do olhar do meu pai. Era um olhar tenso, bem assustador. Saí correndo pelo portão dos fundos e fugi pela rua. Ele não conseguiu me acompanhar e voltou para pegar a bicicleta. Subi a rua, vi um vizinho com o portão aberto, entrei e pedi socorro. Eles fecharam a porta e eu expliquei o que estava acontecendo. Estava muito nervoso, assustado e fiquei lá, escondido. Meus pais me procuraram em todos os lugares. Até no grupo de teatro, onde fazia aulas. Minha mãe interrompeu a aula e ameaçou a professora, que é lésbica. Disse que ela tinha feito minha cabeça, que eu não era gay, que estava seguindo os passos dela. Enquanto isso, eu estava na casa dos vizinhos porque só depois percebi que estava sangrando e muito machucado. Eles me ajudaram a me limpar e passaram pomada. Mais tarde, fui para a escola de teatro, procurar apoio. A professora me contou que meus pais tinham estado lá. Eu, com medo, fiquei horas escondido no banheiro. Minha professora conversou com um vereador da cidade e acharam melhor chamar a polícia. Tive que explicar toda a história. Eles me levaram para a delegacia e me falaram que teriam que avisar meus pais. Chamaram uma assistente social, novamente expliquei tudo e também para os policiais da delegacia. Minha mãe e meu irmão foram até a delegacia, meu irmão tentou vir para cima de mim, minha mãe impediu. Aí, fui dormir na casa da minha avó. Os policiais orientaram meus pais a ficarem distantes de mim. No outro dia, fomos até a assistente social. Tive que registrar um Boletim de Ocorrência contra meu pai e minha mãe. Mas, quando chegamos em casa, pareceu que as coisas começaram a mudar. Meu pai disse que não queria esse tipo de coisa,* falou muito, mas de alguma forma me protegendo. Mesmo assim, minha vida virou um inferno dali pra frente. Qualquer coisa que acontecia dentro ou fora de casa, a culpa era minha. Se eu saía para ir ao teatro era para ficar com outro homem. Se eu fosse viajar até a cidade vizinha era para me encontrar com outro homem. A convivência ficou muito pesada. Aos 17 anos, quando terminei o ensino médio, arrumei a desculpa de que teria que sair de casa para fazer faculdade. Mas não foi tão simples assim, minha mãe não queria deixar. Eu tinha que ter a minha vida porque não dava para conviver com eles."

O relato dolorido do Rodrigo nos mostra o quanto, na maioria das vezes, é sofrido esse momento de encarrar a família. Como é difícil dizer: "Pai, mãe, eu gosto de outro homem" ou "Eu gosto de outra mulher". "Eu sou gay." "Eu sou lésbica." A revelação do Rodrigo foi num cenário de violência, de brutalidade, de falta de respeito, de medo, ameaças. É importantíssimo eu e você contribuirmos para que isso não se repita. Em lugar algum. A psicóloga Rosângela Macedo diz que é muito importante tentar fazer com que esse momento seja o mais calmo e leve possível. Com respeito, com diálogo.

"Tem que ser um cenário de paz, de tranquilidade, de calma. É um momento privado, não é um momento público. É um momento da família e precisa ter intimidade. Ter aquela coisa gostosa, sentar para tomar um café, ter a intimidade da família. Aquele momento que você sabe que sua família tem para viver essa troca. No fundo, os pais sempre *sabem, eles apenas negam. Eles sempre sabem, e preferem não saber, evitam esse momento. É sempre assim quando alguém vai contar, e o pai ou a mãe fala 'pois é, eu já sabia'. Só que têm medo de saber, usam o mecanismo de defesa da negação, porque não dão conta de lidar com aquilo. Eles precisam de um tempo para lidar com aquilo, e isso faz parte do processo."*

Por mais que a história que vimos do Rodrigo não tenha sido nesses moldes, ela se encaixa nas últimas palavras da Rosângela. Ele me contou que, depois de algum tempo morando longe, todas as vezes que visitava os pais, conversava e, aos poucos, foi mudando. *"Eu tive que vir com muita conversa. Como eu já não estava mais na casa deles, eles não podiam fazer mais nada. Qualquer coisa, eu saía e ia para minha casa. Eu passei a me aproximar mais da minha mãe, compartilhar a minha vida, o meu relacionamento. Comecei até a dividir com meu pai meus problemas amorosos. Só com o passar dos anos as coisas foram se acomodando. Eles já conheceram meu ex-marido, hoje conhecem e convivem com meu marido."*

O SOFRIMENTO DOS PAIS

É claro que esse não é um sofrimento exclusivo de quem conta. Os pais também sofrem. Já contei aqui: minha mãe se preocupa até hoje com o julgamento e as opiniões dos outros. Seja na família, na rua, por aparecer diariamente na televisão. E é sim uma preocupação real, justa e me faz sempre repetir: afinal, mãe é mãe. Foi de mãe pra mãe que nasceu o "Mães pela diversidade", que hoje chega a 5 mil mães. Elas trocam experiências, dúvidas, medos e principalmente acolhem. Desde aquela mãe que desconfia ou descobriu ontem que o filho ou a filha é gay, lésbica, bi, trans, até as que são militantes e querem vozes iguais para falarem mais alto e serem ouvidas. Renata dos Anjos é mãe de uma lésbica. *"Minha filha tinha apenas 14 anos quando saiu do armário. Eu já sabia, e então perguntei: 'Filha, tu tá apaixonada?'. 'Pela Vic', ela respondeu. 'Ela também tá por ti?', perguntei. Renata completa: 'Era tudo que eu queria saber, se ela era correspondida'."*

É a preocupação legítima de uma mãe. Renata, que foi mãe jovem, percebeu que a filha tinha desejos e vontades diferentes das outras meninas. Foi se informar, se preparou e acolheu. *"Não existe uma escola de pais que nos prepara para lidar com isso. Aquilo que ela tinha afirmado naquele momento já era muito claro pra mim. E ela precisava de um pai e mãe que fossem uma ponte para que pudesse se desenvolver tranquilamente e ser quem ela é."*

O papel da mãe neste momento é duas, três vezes mais pesado. É muito comum escutarem dos maridos: "A culpa é sua de ele ser viado/de ela ser sapatão". Esse julgamento e a responsabilidade vão parar nos ombros das mães. Os vizinhos comentam: "Fulana sempre fez todas as vontades, deu nisso, tem um filho gay". Jaqueline da Rosa, uma professora de ensino fundamental de Porto Alegre, tem três filhos. O do meio é o Lucas, um adolescente trans de 17 anos. Quando ela soube há três anos que Samanta é Lucas, precisou de um tempo para entender. *"Eu sempre digo para as gurias que quando tu descobre que tem um filho LGBTQIA+ a gente tem que "re-parir" esse filho. Porque não é mais aquele filho, é outro filho. É outro começo. Como mãe, tu tem o momento de parar. Tu tem o momento de solidão, de tristeza."*

Jaqueline foi atrás de informação, de ajuda. Acolheu e aceitou e hoje é uma mãe leoa. Vive em defesa dos filhos. *"Ele é homem trans, é um trans gay! E as pessoas também não entendem. As pessoas me perguntam: 'Quer ser homem, mas gosta de homem, como assim?'. Eu digo, sim, ele vai ser o que ele quiser."* Se você ficou confuso, como as pessoas que interrogam a Jaqueline, vou te explicar. A Samanta nasceu em um corpo feminino. Percebeu que não se identificava com esse corpo. Passou a ser socialmente o Lucas. E Lucas é um trans gay, porque gosta de se relacionar com outros meninos. É assim que ele se sente completo e feliz. Mas nem sempre pai e mãe, os dois ou um só, vão ter a mesma reação. Há pai que não aceita. Mãe que compreenda. Há pai que acolha, mãe que rejeita. Eles podem ter qualquer tipo de reação.

RS - 32 anos *"Eu lembro exatamente como foi a conversa com meus pais. Foi sem dúvida o dia mais esperado e o pior da minha vida. Meu pai ficou tão furioso e dizia que eu era uma vergonha para eles. Minha mãe chorava muito. Meu pai ficou quase um mês sem falar comigo. Foi minha mãe quem ficou entre nós tentando entender e harmonizar nossa relação. Foram os dias mais tensos de toda a minha vida."*

Esteja preparado para todas as possíveis reações, inclusive para a mais sofrida: ser renegado. É triste, claro, mas acontece. E não é o fim do mundo, diz a psicóloga Rosângela Macedo.

"*A pessoa que está indo contar para a família é de uma coragem incrível, de uma hombridade, uma coragem genuína de ir ao encontro, de se expor desse jeito. E quando o outro não aceita, não acolhe, não pode se sentir responsável pela angústia do outro. Já me basta a minha, porque é uma angústia muito grande para a pessoa que está nesse lugar. Então eu não posso ter a responsabilidade de ter que lidar com a angústia dos meus pais, isso vai ter que ser um problema deles a partir dali, porque senão você vai ter que carregar uma culpa e uma responsabilidade muito pesadas. Você não pode ser responsável pela angústia dos seus pais se eles não acolhem, não aceitam. Eles vão precisar, no tempo deles, aprender a lidar com isso, vão buscar ajuda ou vão ficar por muito tempo assim. Normalmente, lá na frente a coisa vai mudando, porque o amor é universal. O amor não tem gênero, diferença de raça e de cor, não tem diferença no amor. A gente espera que o amor incondicional vença sempre, mas às vezes leva um tempo, e às vezes é difícil. Só não carregue essa mochila, porque não é sua.*"

Veja a história da família da Rita Reche, uma mulher negra e empregada doméstica, mãe de dois filhos: Henri, de 25 anos, é bissexual; Igor, 23 anos, gay. Quando os filhos contaram, ela também precisou de acolhimento para entender o que tinha acabado de ouvir. "*Eu me senti muito perdida. Porque não tinha casos de homossexuais na minha família. Corri para minha mãe e para as minhas irmãs e elas simplesmente me viraram as costas. Aí meu chão caiu e fui embora. Minha família, que é tão grande, se resumiu a mim e meus dois filhos."*

Rita fala isso porque inicialmente o marido, pai dos filhos e com que é casada há vinte e seis anos, também foi resistente. *"Meu marido sempre foi muito machista, preconceituoso. Antes mesmo de eu saber da sexualidade dos meus filhos, uma vez passou por nós um casal de lésbicas. E ele falou assim: 'Credo, dentro da minha casa nunca vou aceitar isso'. Eu só olhei pra ele e disse: 'Tenho uma coisa pra te falar. Os meus filhos sempre serão meus filhos. Tu estás meu marido, eu não sei até quando. Não me faça escolher'."*

O tempo se encarregou de colocar tudo em seu devido lugar. Hoje o marido e a família de Rita convivem com os filhos harmonicamente, respeitando a sexualidade deles. O que aconteceu na casa da Rita nos mostra que nem sempre vamos ter uma compreensão imediata. Diante da negativa, primeiramente respeite a posição. Afinal, você foi contar em busca de respeito. Nada mais justo que respeite. Dê um tempo. Lembre-se de que nossos pais são de gerações anteriores, cresceram e viveram décadas em meio a outros valores e normas colocadas a eles goela abaixo. Prefiro acreditar que tudo pode ser construído com calma, diálogo e respeito. Nesse processo, ao perceber qualquer milímetro de aproximação, não desperdice. Se ouvir aquela pergunta: "E aí, minha filha, meu filho… como estão as coisas?", saiba que é um caminho para retomar o assunto e ir aos poucos conversando sobre você e os seus desejos.

Se dê esse tempo, dê esse tempo aos seus pais, aos seus irmãos, seus filhos. Até porque, na maioria das vezes, um tempo depois a gente já se sente à vontade para contar que está namorando pra mãe. Mesmo que esse namoro já exista há anos e que ela nunca tenha imaginado. Afinal, a gente passa anos se escondendo. Logo você conta que o fulano não é apenas o seu melhor amigo há anos, como ela imaginava. E que naquela semana em que você estava triste, o motivo era uma crise no namoro com ele. Aí a mãe começa a dizer: "Manda um beijo pra ele". O pai diz: "Qualquer hora traz aqui em casa pra tomar um café". E o caminho se abre. Você e eles vão encontrando por onde ir. Até a normalização da relação.

Você deve estar pensando: "Marcelo escreveu isso porque na casa dele correu tudo bem quando ele contou ser gay, tudo bem ele ter um namorado". Quem me dera... Acredite, pelo menos até agora, metade de 2021, na minha casa essa normalização ainda não é plena. Eu, que já falei na TV ao vivo para todo o Brasil que tenho um namorado, que já dei entrevistas sobre isso, posto foto com meu namorado nas redes sociais... Pois é, eu mesmo, nunca cheguei em casa com um namorado e o apresentei: "Este é meu namorado". Atualmente, é a primeira vez que toda a minha família tem contato com um namorado meu. Claro, pela distância, meu contato com minha família é normalmente pelo WhatsApp. Ainda mais em tempos de pandemia. Apenas minha irmã Kelly e meu cunhado Jean conheceram o Frankel pessoalmente.

Meu namorado mora em Belo Horizonte, eu no Rio de Janeiro, e minha família no Rio Grande do Sul. Começamos a namorar pouco antes da pandemia do coronavírus. Então, nada de viagens, o que também dificultou tudo. No meio do ano, meu filho Eduardo também conheceu o Frankel na minha casa, no Rio de Janeiro. Foram quatro dias de um convívio harmônico e respeitoso. No segundo dia, quando cheguei do trabalho, os dois estavam cozinhando, tomando cerveja e conversando. A cena aqueceu meu coração. Mas meu pai, pelo menos até aqui, nunca mostrou qualquer vontade de conhecer meu namorado. Ao contrário de todo o resto da minha família. O que faço? Respeito. Não deixo de fazer nada com o Frankel, tenho uma vida plena de dois namorados homens. Apenas ainda não fui com ele à cidade onde meus pais moram. Mas espero que seja uma questão de tempo. Novamente: respeite o tempo de cada um.

Mas ainda bem que nada é regra. Eu frequento a casa dos pais do Frankel seguidamente. Claro, é mais fácil porque eles moram em Belo Horizonte, mesma cidade do Frankel. Mas eles têm outra forma de encarar a sexualidade do filho. Que bom! Sempre que chego lá, saio pesando uns dois quilos a mais, depois de um "bom café mineiro". Às vezes, a decisão de enfrentar a família ou de ser enfrentado por ela não acontece. Há pessoas que preferem não contar, não conversar. E isso vale para LGBTQIA+ e para a família.

CR - 46 anos *"Minha família nunca vai entender, nunca vou ter coragem de contar. Minha mãe é mais velha, meu pai* já morreu, meus irmãos são preconceituosos. Então, para eles eu sou o solteirão da família, sempre tem alguém que não casa, não tem filhos. Na família, esta é a minha identidade. Na realidade, eu tenho um relacionamento com outro homem há mais de dez anos. E tive outros antes dele. Para mim está decidido, mas nunca vou falar. Me acostumei com "dois eus".

FG - 39 anos "Meu pai morreu há quase dez anos, era muito conservador. Minha mãe está com quase 80 anos e não iria compreender minha sexualidade. Não há por que contar para minha mãe nesta altura da vida dela. Causaria muita tristeza. Desde sempre tive muito claro para mim que não contaria e não vou contar. Minha única irmã sabe que sou lésbica há muitos anos e convive bem com isso. É minha melhor conselheira em questões amorosas."

Nada é regra, já vimos como mudam os comportamentos de pais e mães. Durante as pesquisas para o livro, cheguei ao Antônio Carlos Budel. Aos 57 anos, ele tem usado o tempo livre para ajudar outros pais LGBTQIA+. O filho jornalista, Caio Budel, é gay e ajuda o pai com dúvidas sobre os textos, termos corretos, enquadramentos e luz. Veja como foi a aproximação dos dois. Há alguns anos, Antônio Carlos teve uma crise no casamento, ele e a esposa chegaram a pensar em separação. Na época, abalado, contou para o filho que passava por um momento difícil no casamento. Caio acolheu o pai com um abraço longo e apertado e disse: "Pai, eu te amo, vou estar sempre do seu lado". Antônio Carlos conta que nunca esqueceu aquele abraço em um momento de tanta fragilidade. Anos depois, o filho, que nunca tinha falado nada sobre sua sexualidade, chegou em casa muito triste porque havia acabado um namoro. O pai pensou, os papéis se inverteram, hoje é meu filho que está precisando de acolhimento. Ele está sofrendo por amor. *"Meu filho chegou desesperado em casa porque tinha terminado abruptamente com o namorado. Não tive outra resposta na hora a não ser acolhê-lo. E viver com ele aquela situação. Eu sabia a dor que ele estava sentindo, entendia que estava doendo. Não importava por quem ele estava sofrendo, de quem tinha se separado. Simplesmente acolhi. Abracei ele e disse: 'Fica com a gente. Sempre vi pelo lado do amor, nada mais!'"*

É o que já falamos aqui: não é uma tarefa fácil para os pais. Antônio Carlos também teve o momento de entender o que é ter um filho gay. *"Não digo que com o passar o tempo, até porque ele reatou o namoro, isso não me incomodou. Claro que incomodou. Pela criação antiga que eu tive. E por ser criado em um ambiente machista. Na cabeça de muitos homens, quando o filho diz que é homossexual, a gente pensa no sexo. As pessoas pensam em sexo. Eu acho que o problema está aí. Mas não é sobre o ato sexual. As pessoas precisam respeitar a orientação, a opinião. Respeitem os sonhos, acolham e abracem."* Hoje Antônio Carlos tem um sobrinho, filho da irmã, e outro sobrinho, filho do cunhado, que se revelaram recentemente para a família. Tanto a irmã como o concunhado ainda não lidam bem com a sexualidade dos filhos gays. Antônio Carlos conta que tenta ajudá-los com o próprio exemplo. *"Quando você vê que a pessoa é irredutível, é melhor ajudar com exemplos.*

Eu acredito que estou ajudando, mostrando naturalidade na relação que tenho com o meu filho. O jeito como trato meus dois sobrinhos gays... espero que eles amoleçam o coração, vejam que é uma coisa natural. Que é algo com que eles não precisam se preocupar, e simplesmente acolher."

CAPÍTULO 4
TRABALHO

Você já ouviu falar no teste do pescoço? Aprendi com Flávia Oliveira, minha parceira do jornal *Em Pauta*. O teste consiste numa prática de observação, por exemplo, quando chegamos em um determinado ambiente e contamos: quantos negros tem aqui? Vamos fazer o teste do pescoço dos LGBTQIA+: quantos há no seu trabalho? Como já foi dito, estamos por aí, espalhados e presentes. Você encontrou um, dois, alguns... Mas o fato de os LGBTQIA+ estarem lá não significa necessariamente que o ambiente não é preconceituoso, muito pelo contrário: nossa presença aflora a LGBTfobia. Normalmente, o preconceito no trabalho começa velado, por meio de olhares, gestos e julgamentos silenciosos. O passo seguinte é o deboche, a piada, a brincadeira preconceituosa. São atitudes que vão minando o ambiente e, claro, atingindo os LGBTQIA+. Com o tempo, essas posturas causam desequilíbrio emocional, afetam a autoestima, diminuem a produtividade e deixam o clima inseguro e tenso. Quem em um lugar assim consegue mostrar seu melhor desempenho, habilidades e produzir mais?

O trabalho é o lugar em que passamos a maior parte do dia, às vezes ficamos mais tempo lá do que na nossa própria casa. Você passaria oito, dez horas do seu dia num lugar em que é alvo constante de julgamentos e ofensas? Eu não consigo me imaginar nesse ambiente. Até porque, eu convivo mais com meus colegas de trabalho do que com a minha família, que mora longe, em outro estado. As empresas já se deram conta de que é urgente tornar o local de trabalho respeitoso e harmônico. Infelizmente, não se vira uma chave e se muda do dia pra noite. Machismo, racismo e a homofobia são os preconceitos mais repetidos nas empresas, basta uma busca no Google para encontrar centenas de pesquisas que revelam isso. No caso de nós, LGBTQIA+, o incômodo vem pela forma como falamos, nos vestimos, nos comportamos e em relação às pessoas com quem nos relacionamos.

Muito provavelmente você já notou a roupa que seu/sua colega gay/lésbica usa e pensou: Essa roupa é meio de viado, de sapatão. Já ouviu ou pensou: "Tá, mas precisa se vestir assim? Ter cabelo curto? Precisa ser afeminado, masculina?". Respondo: "Precisa". E te sugiro um exercício de empatia. Imagine você, homem hétero, indo pro trabalho com uma calça mais justa, camiseta mais curta, um sapato ou tênis colorido, uma bolsa ao invés de mochila! E você, mulher hétero, é a sua vez de ir à reunião do mês de calça larga, sobrando na bainha, sapato preto pesado, uma camisa social para fora, mangas sem dobra, e de rosto lavado. Não, aqui nesse exercício não vale nem um batom, é teste raiz. A resposta ao exercício será: "Jamais, nunca faria isso, não consigo nem me imaginar vestido(a) assim. Todos vão rir de mim".

Tenho certeza de que seria um sofrimento pra você. Como é no mínimo um desconforto diário para o seu ou a sua colega LGBTQIA+ que gostaria de se vestir de forma diferente e não faz isso por pensamentos e julgamentos como esse, que os obrigam a seguir um padrão para não chocar o ambiente de trabalho. Que diferença faz na tua vida a roupa do seu ou da sua colega? Esteja certo: nenhuma. Antes de olhar com a cara atravessada e de mandar mensagem para o outro amigo dizendo: "Você viu a roupa do cara? O que é isso? Aqui é trabalho". Lembre-se: você anda por aí vestido como quer, e se alguém falar algo provavelmente você vai pensar: *Dane-se, eu me visto como quero!*

Então implicar com a roupa, com o tom de voz, os trejeitos de alguém, é sim preconceito! Vou te contar a história do Filipe Roloff. Ele trabalhava com Comércio Exterior fazia cinco anos. Quando o gerente descobriu que ele é gay, o tirou de projetos e começou a excluí-lo. Filipe pegou esse preconceito e transformou em carreira. Trocou de área e de empresa. Começou a trabalhar com tecnologia. Na nova empresa, em um ano estava fazendo parte do grupo de diversidade. Logo passou a ser o líder do grupo no estado, no Brasil e por fim na América Latina. Hoje tem uma consultoria de diversidade e inclusão e acabou de ser contratado por um dos maiores bancos digitais do mundo, justamente para ser coordenador de aprendizado, desenvolvimento de diversidade e inclusão. Filipe se tornou uma referência na área e diz que, para estabelecer esse respeito, as empresas precisam começar a partir de cargos mais altos. As lideranças têm que abraçar a ideia de ter um grupo de diversidade e inclusão para assim ouvirem quais são as dores, problemas e demandas dessas pessoas.

"*Uma liderança propositiva, querendo trabalhar e comprando as ideias. Um grupo com representatividade, afinado às pessoas LGBTQIA+. E uma gestão de pessoas, um RH, que se proponha também a mudar os processos, com coisas simples, como o banheiro para as pessoas trans.*" Filipe Roloff me explicou que o termo "ambiente tóxico" não é mais usado, até porque nos remete a algo negativo. Hoje as empresas precisam oferecer aos funcionários, LGBTQIA+ ou não, uma segurança psicológica.

"*Um ambiente onde a pessoa possa ser quem ela é. Ter sua expressão de gênero respeitada, sem medo de retaliações. Onde ela possa contribuir com ideias e soluções. Possa participar das discussões sem sofrer represálias. E ter segurança para falar e errar. Um ambiente com segurança psicológica é um lugar onde os erros, as ideias, a contribuição de um LGBTQIA+ valem e são gerenciados tanto* quanto de outras pessoas. Isso é muito importante. Não ligar o erro à diversidade."

ESSE CLIENTE A GENTE NÃO QUER

Ainda enquanto morava em Brasília, cidade onde vivi doze anos, frequentei várias vezes uma hamburgueria, a Ricco Burger, que é conhecida por contratar gays, lésbicas, bis e transexuais. Eu quis entender como surgiu e como se mantém essa iniciativa. Quem me explicou foi a Renata Carvalho, uma das quatro sócias. Mulher lésbica, por motivos óbvios sempre teve um olhar mais atento à comunidade LGBTQIA+. A empresa não contrata apenas LGBTQIA+, no processo de seleção não há orientação sexual nem gênero, explica ela: *"A gente sempre pensa em pessoas, e por acaso muitas pessoas LGBTQIA+ procuravam a Ricco para trabalhar, e isso sempre foi muito legal para nós. Elas não passaram na entrevista e foram contratadas porque são LGBTQIA+, mas porque são extremamente competentes e continuam com a gente pelo mesmo motivo"*. Hoje a empresa tem sessenta funcionários, a maioria LGBTQIA+, mas também vários héteros, como o responsável pelo departamento de Recursos Humanos, que é evangélico. Eu quis saber como foi montado um departamento de RH com essa cultura. *"A pessoa que foi selecionada para comandar nosso RH sabe que um dos nossos pilares é contratar pessoas pela competência e pela vontade de trabalhar. Se ela é ex-presidiária, negra, trans, gay... as únicas que não vamos contratar aqui são pessoas transfóbicas, homofóbicas, pessoas intolerantes. E isso foi orgânico, essa cultura se instalou na empresa naturalmente."*

Todas as quintas-feiras os funcionários fazem parte de uma reunião geral, que começa com um "check-in", para saber como estão se sentindo em relação ao trabalho e à família. *"Nosso objetivo é acolher. Fechamos um convênio com alguns psicólogos e pagamos sessão para quem estiver disposto a ter acompanhamento, fazer terapia. Sabemos que a cabeça é guia para tudo. Precisamos que nossos funcionários estejam bem, isso é importante para nós."* Um dos pontos que me chamou a atenção na entrevista que fiz com a Renata foi quando ela me disse que tem um tipo de cliente que ela não quer em suas lojas: o preconceituoso. E alguns já foram convidados a se retirarem, como um cliente que chamou um dos funcionários de "viadinho". *"Não queremos esse tipo de cliente. A gente aborda e orienta para que a pessoa não consuma. Que ela saia e procure outro estabelecimento. Explicamos que a nossa realidade é essa e que trabalhamos muito com respeito."* Nos restaurantes, os banheiros são sem gênero. Podem ser usados por qualquer pessoa. Sem distinção. O que também desagradou alguns clientes.

"Uma senhora reclamou que um restaurante com um banheiro deste não era digno da presença da família dela. Neste dia, eu estava presente e fiquei muito incomodada. Pedi para que uma das nossas funcionárias fosse orientá--la, dizendo que é o que a gente pratica, e que se ela não

estivesse se sentindo à vontade, que não teria problema. Que há outros estabelecimentos que oferecem o banheiro feminino e o masculino e que ela não teria problema em outros lugares."

As empresas têm percebido que combater práticas discriminatórias é um dever e que um ambiente de trabalho plural e respeitoso reflete nos resultados. Gênero, sexualidade, desejo não devem fazer parte desse ambiente. Muito menos a falta de respeito e a homofobia. O Fórum de Empresas e Direitos LGBTQIA+ tem uma cartilha que traz uma série de dicas sobre como as empresas devem se comportar para ter um ambiente saudável e inclusivo. Você pode conferir todas no endereço: <https://www.forumempresaslgbt.com/10-compromissos>.

Um mecanismo que vem sendo adotado nas empresas, especialmente com mais estruturas de departamento de Recursos Humanos, é o *compliance*, termo inglês que remete a "*in compliance with*", e significa "estar em conformidade com as leis, normas e política interna da empresa". É um canal por meio do qual, de forma anônima, o funcionário pode relatar situações de desrespeito, agressões, assédio. Isso vem ajudando a diminuir o preconceito, seja ele de gênero, sexo ou raça no ambiente de trabalho. Até porque, se ficar comprovado o desrespeito, o trabalhador que atacou pode ser demitido. Com medo de punição, machistas, racistas, homofóbicos, gordofóbicos e todos os demais baixam a bola. As denúncias e as punições têm ultrapassado os limites das empresas e ganhado a sociedade, o que é positivo.

Nos últimos anos, a justiça vem condenando empresas por permitirem práticas lgbtfóbicas em seus ambientes. Em 2021, a 2ª Turma do Tribunal Regional do Trabalho da 6ª Região condenou um banco a pagar uma indenização para um gerente que foi demitido e que, durante anos, de acordo com o relato de testemunhas, foi vítima de assédio moral e ofensas discriminatórias de seus colegas e até de superiores. O tribunal inclusive reconheceu que a demissão teve motivações homofóbicas. E não para por aí. Segundo o relato do trabalhador, no mesmo dia também foi demitido um colega de outra agência com quem ele mantinha um relacionamento. Por ter sido homofobia, o desligamento o levou a desenvolver transtorno de ansiedade e depressão. O banco foi condenado a pagar uma indenização de R$ 60 mil. No voto, a desembargadora-relatora Eneida Melo Correia de Araújo disse: "Não é difícil imaginar que o empregado, dentro de um contexto em que sabia ser alvo de constantes comentários e piadas de mau gosto – não por ter dado margem a isto, mas por possuir orientação sexual diferente dos padrões tidos como tradicionais –, se sentisse triste, abatido, desestimulado e verdadeiramente desencorajado a enfrentar o próprio dia a dia. As atitudes reveladas nos autos constituem típico abuso de poder capaz de produzir dano".

Já a 8ª Turma do Tribunal Superior do Trabalho condenou uma empresa por danos morais depois que um trabalhador denunciou que era chamado de "voz fina", "gay" e "viadinho". O empregado, que ficou na empresa por seis meses, relatou no processo que procurou o setor de recursos humanos da empresa e denunciou o bullying que sofria, mas foi ignorado. Nesse caso, a empresa foi condenada a pagar uma indenização de R$ 30 mil. No voto vencedor, o então ministro do TST, Márcio Amaro, disse: "Vivemos novos tempos e devemos estar atentos para essas modificações, que estão a exigir de nós um novo olhar sobre essas questões". Neste último caso, o trabalhador disse sofrer diariamente por ter que ir para um trabalho onde sabia que seria alvo constante de preconceito, mas que precisava do emprego para se sustentar. Com certeza esse funcionário rendia menos. As empresas mais antenadas perceberam que a segurança psicológica gera resultado, produtividade. Gente segura e feliz rende mais. É quase que matemático.

Imagine você, passar o tempo todo na defensiva, trabalhando, mas com medo de ouvir algo que te machuca? "Mas agora a empresa está chata. Não posso falar nada, é tudo mi mi mi?" Eu respondo: "Mi mi mi é a dor que dói no outro". Quem me contou isso foi a Cris Kerr, consultora especialista em diversidade e inclusão. Ela diz que de todos os temas, o mais difícil de trabalhar nas empresas é o LGBTQIA+. Justamente pelas crenças de quem ataca e pela insegurança de quem é vítima. *"Será que eu quero um ambiente onde a pessoa está se sentindo frequentemente ameaçada? A inclusão é um senso de pertencimento dessas pessoas. Onde elas vão se sentir valorizadas, respeitadas. Onde eu posso ser quem eu sou, posso falar da minha vida.*

Não adianta a empresa contratar LGBTQIA+, é preciso respeitar esse profissional e mantê-lo na empresa. As empresas precisam incluir e respeitar."

VOU ABRIR AS MINHAS REDES SOCIAIS

Enquanto escrevia este livro, recebi pelo Instagram uma mensagem: "Obrigado pela sua coragem e força. Sou engenheira e trabalho na área de petróleo e gás, uma área extremamente machista, muito difícil de assumir minha sexualidade, mas ver seu depoimento me deu coragem de enfrentar e assumir quem sou".

Essa mensagem é da Flávia dos Santos. Mulher negra, nordestina e lésbica. Conversamos em uma manhã de domingo enquanto ela visitava a sogra no interior de Minas Gerais. Flávia me contou que há vinte anos presta serviço para empresas de óleo e gás em plataformas em alto-mar e que nunca conseguiu dizer que é lésbica. Como tantos outros LGBTQIA+, sempre fugiu de viagens a trabalho em que era preciso dividir o quarto com colegas, nunca frequentou festas de fim de ano da empresa, nas redes sociais não aceita colegas de trabalho e nunca se sentiu segura para falar da namorada.

"Trabalhar em plataforma é muito difícil. São duzentas pessoas embarcadas e, entre essas duzentas, você encontra talvez oito ou dez mulheres. E que dificilmente estão em cargos maiores. Geralmente é camareira do hotel, cozinheira ou enfermeira. Quando você entra na plataforma,

se sente um pedaço de carne ambulante. Porque os homens estão confinados há dias naquele ambiente extremamente masculino. Então, você precisa ser uma pessoa firme. Não é ser grossa, mas tem que ter firmeza, senão eles te dominam. A gente fica o tempo todo de macacão e capacete. Mas, para entrar no refeitório na hora do almoço ou do jantar, não dá para ir fardado, de macacão. Eu procurava sempre ir de calça e uma blusa de manga comprida, para não mostrar nada."

Durante o trabalho, Flávia já ouviu coisas como: "Essa aí tem cara de que não gosta da coisa não", "Essa manga é goiaba". Ela perdeu projetos e oportunidades por ser mulher lésbica. *"Éramos eu e mais dois engenheiros e as oportunidades sempre vinham para eles. As ideias que eu tinha não eram levadas em consideração. Ouvia do meu chefe: 'O fulano já tem uma ideia, vamos seguir o padrão'. E eu dizia: 'Poxa, mas eu estudei, por este caminho ganhamos tempo e economia'. E ele falava: 'Não, eu quero o padrão do jeito dele'."* Aos 44 anos, a pandemia e o relacionamento de quatro anos fizeram com que Flávia mudasse de postura. Mesmo com a mãe até hoje não aceitando sua condição, ela resolveu que não vai mais se esconder. *"Me sustento, faço o que eu amo, conheço o valor do meu trabalho. Então, eu não tenho mais que ter medo dessas coisas. Quem gosta de mim, vai ter que gostar pelo que eu sou. Quando eu voltar ao trabalho presencial, vou abrir minhas redes para minhas colegas. E se quiserem que me perguntem. Se apenas deduzirem, ok! Hoje eu não me importo mais."*

Dias antes de ouvir a Flávia, fui convidado para conversar com um grupo de empresa de óleo e gás. Foi pura coincidência serem do mesmo setor. E lá ouvi que o ambiente ainda é muito preconceituoso. Nessa empresa em específico, dos mais de três mil funcionários, apenas três se sentem absolutamente seguros para falarem sobre sua sexualidade. A justificava é que as indústrias e empresas onde a força de trabalho é majoritariamente masculina são ambientes mais resistentes. Imagine uma plataforma em alto-mar, num mundo cercado por água, em que 98% das pessoas são homens de meia-idade, brancos e heterossexuais. Ambiente extremamente masculino e machista. Onde as mulheres precisam usar roupas largas para não se sentirem assediadas. Como se assumir gay, lésbica, bi ou transexual? Ouvi dois relatos que me chamaram atenção. Um de um homem bissexual que desde sempre deixou isso claro para todos e consegue levar com bom humor sua condição sexual no ambiente de trabalho. Outro relato foi de um funcionário que um dia recebeu a seguinte pergunta: "Você se importa de dividir a cabine/quarto com o fulano?". E ele respondeu: "Ele tem algum problema, doença, corro algum risco?". Escutou como resposta: "É que ele é gay, ninguém gosta de dormir na mesma cabine". Surpreso, esse funcionário respondeu: "Eu sou hétero e não vejo nada de errado ou arriscado em dividir o quarto com um colega gay. Vou dormir lá sim".

RESERVA PARA DOIS

Mas isso não acontece apenas nas indústrias e empresas. Luiz Maciel é servidor público federal há vinte anos.

Trabalha em uma universidade federal no interior de Minas Gerais e é diretor de uma das faculdades. Em meados de junho, a ouvidoria recebeu uma denúncia contra ele. Acusaram-no de desrespeitar as regras do funcionalismo público federal. Parte do texto diz: *"É chocante se deparar com fotos de pura intimidade expostas publicamente. A imagem da Universidade não pode ser atrelada a esse tipo de comportamento. E a imagem do servidor público não pode ser exposta a este nível".*

Luiz é casado com Gustavo, que é médico. Eles têm um perfil no Instagram chamado *Reserva para dois*, em que compartilham dicas de viagens e fotos da família que construíram. Luiz tem duas filhas de um casamento anterior com uma mulher e as meninas convivem com seu marido. Foi com base nessas fotos que a denúncia foi feita.

"O pano de fundo é o preconceito, todo mundo que leu a denúncia enxergou dessa forma. Tem partes da denúncia em que a pessoa não consegue esconder o preconceito. A Universidade recebeu a denúncia e me pediu uma resposta. Eu enviei quatro páginas, na primeira escrevi todas as questões técnicas. E nas outras foram as minhas percepções mais pessoais. Pedi que fosse encaminhada denúncia ao Ministério Público Federal e à Polícia Federal, porque como servidor federal quem responde sobre nós é o MPF e a PF. Quero que seja investigada a identidade do denunciante e que seja tratado como crime. Porque eu, enquanto hétero, divulgava as mesmas coisas e nunca tive uma resposta negativa. Com minha ex-mulher, nada foi colocado como inadequado ou ruim."

Como já disse, em mais de vinte anos trabalhando, passei por inúmeras situações em que o preconceito vem por brincadeiras maldosas, piadas e comportamentos tidos por muito tempo como aceitáveis. E, pra você que ainda se pergunta: "Mas como conviver com um colega de trabalho gay?", eu te respondo que é exatamente igual a conviver com um hétero. Primeiro, básico, item nº 1 da lista: aceite. Ele ou ela é gay, bi, trans e *tá* tudo bem. Isso não vai mudar. É aceitar. Já te expliquei, sem papo de "respeitar". É importante que você reflita, tente identificar em você o preconceito. Esse é ponto de partida para neutralizar ações lgbtfóbicas. Seja educado, acolha, tente uma aproximação natural. Não faça perguntas diretas de cara. Sabe aquele papo quando estamos sem muito assunto? "E aí, como foi o fim de semana?", "O que fez de legal?" É por aí! Vá distensionando o ambiente, a relação. Se tiver abertura, pergunte se ele ou ela namoram. Se escutar, "Sim, outro homem" ou "Sim, outra mulher", nada de espanto. É o que já falamos: você não se assusta quando um colega hétero diz que tem uma esposa. Jamais diga: "Eu não tenho nada contra, viu? Só não é a minha". A sua é sua, a nossa é a nossa. "Não é a minha" não aproxima. Pelo contrário: afasta.

Em épocas de redes sociais, nada de ir fuçar na conta do(a) colega, tirar *print* de fotos da intimidade e espalhar. Se tiver proximidade, mostre foto da sua família, peça pra ver fotos da família dele ou dela. Deve ser uma relação exatamente igual à que você tem com outros colegas. Lembre-se: não somos "o gay" que trabalha com você. Somos profissionais, chegamos aqui pelo mesmo motivo, pela nossa competência. Ser LGBTQIA+ é algo intrínseco em nós, mas não nos resume. Somos colegas de trabalho, filhos, irmãos, tios, sobrinhos, pais, mães, profissionais, negros, brancos, altos, baixos, magros, gordos, pobres, ricos, sérios, simpáticos. Temos problemas em casa, problemas de grana, de relacionamento. Metas a cumprir. Também temos amigos. E claro, se estamos aqui, ora bolas, é porque precisamos deste emprego, tanto quanto você. São inúmeras combinações, tantas quantas a sua mente quiser fazer. Isso tudo pra te dizer que somos tudo que quisermos e podemos ser, igual a você. Então, me respeite. Eu vou te respeitar. E assim conviveremos em harmonia, como a empresa onde trabalhamos exige, ou pelo menos deveria exigir.

Encerro este capítulo com uma história de amor dentro do ambiente de trabalho. A do Ernesto Antonini e do Marcondes Souza, que moram em Curitiba. Juntos há pouco mais de seis meses, Ernesto achou que era hora de oficializar a relação. Resolveu pedir Marcondes em casamento. E sabe onde? Na empresa onde trabalha. Quando contou na escola de ioga onde trabalha que queria fazer um pedido de casamento surpreendente, logo o chefe e os colegas sugeriram que fosse no próprio trabalho. "Foi o pessoal do trabalho que me ajudou. Em quarenta e oito horas eles montaram tudo, foram atrás de decoração, de flores, cartazes, balões, música, comidas e bebidas, foguete e até um fotógrafo." E, numa sexta-feira no fim de tarde, toda a empresa parou de trabalhar. Quando Marcondes chegou para buscar o então namorado, encontrou os vinte e cinco colegas de trabalho enfileirados e Ernesto sorridente, com um par de alianças nas mãos e um pedido de casamento. *"Quando eu cheguei, pensei quer era mais uma sexta-feira com um happy hour. E me deparei com um pedido de casamento. Foi lindo, emocionante."* Ernesto e Marcondes garantem que todos os colegas de trabalho dos dois estarão na lista de convidados do casamento.

CAPÍTULO 5
SEXUALIDADE

Para que esse debate seja cada vez mais claro, precisamos deixar alguns pontos muito bem definidos. Sexualidade não é ato sexual. Pare de imaginar uma cena de sexo quando ouvir ou ler a palavra sexualidade. Essa confusão muitas vezes impede uma conversa importante entre pais e filhos, por exemplo. Ouvi de um terapeuta que devemos falar sobre sexo quando a criança/adolescente demandar. Mas sobre sexualidade, devemos falar desde sempre. Porque sexualidade é uma construção permanente e que começa muito cedo. Veja o conceito da OMS: *"A sexualidade faz parte da personalidade de cada um, é uma necessidade básica e um aspecto do ser humano que não pode ser separado de outros aspectos da vida. Sexualidade não é sinônimo de coito (relação sexual) e não se limita à ocorrência ou não de orgasmo. Sexualidade é muito mais que isso, é a energia que motiva a encontrar o amor, contato e intimidade e se expressa na forma de sentir, nos movimentos das pessoas, e como estas tocam e são tocadas. A sexualidade influencia pensamentos, sentimentos, ações e interações e, portanto, a saúde física e mental. Se saúde é um direito humano fundamental, a saúde sexual também deveria ser considerada um direito humano básico"* (WHO Technical Reports Series, 1975).

Durante as pesquisas, entrevistas, leituras, podcasts, filmes e séries a que assisti para escrever este livro, fui me interrogando e tentando buscar na memória quando passei por alguns desses inúmeros momentos importantes que determinaram quem eu sou e me trouxeram até aqui. Lembrei de vários períodos ao longo da vida em que fui migrando, mudando, trocando, encontrando, buscando, abandonando e adotando formas que construíram minha sexualidade e o meu prazer. Claro, sei exatamente quando tive coragem de deixar de transar com mulheres e passar a transar com homens. Mas também recordei a construção da minha sexualidade. As fases em que convivi com um grupo determinado de pessoas e o que absorvi. Os novos grupos, ambientes, identidades, cidades, bairros, novos amigos e amigas. Percebo claramente que esse conjunto foi me trazendo até aqui, me moldando e me lapidando, e assim foi mais fácil compreender que essa construção da sexualidade é infinita. E compreender que minha sexualidade ainda vai mudar, assim como a sua.

O PACOTE SEPARADO PARA ELA

"É um processo contínuo. Já se pensa na sexualidade antes da criança nascer. Diante das expectativas dos pais, do grupo social em que eles vivem, o momento histórico. A *criança já nasce quase que com um pacote que foi separado para ela. Mas isso obviamente vai mudando ao longo da vida. Nós nunca somos um aspecto único da vida da gente. Nós somos a integração de diversos aspectos. O ato sexual em si é muito limitante para entender a vida de uma pessoa."* Essa fala é do psiquiatra e comunicador Jairo Bouer. Confesso que foi a primeira pessoa a que assisti na TV falando sobre sexo e sexualidade e foi muito especial ouvi-lo para este livro. Doutor Jairo distingue sexo e sexualidade: *"Sexo você pode usar como ato sexual, como a questão de sexo biológico. Agora sexualidade não, a sexualidade é algo muito mais amplo, envolve todas as execuções, vivências, atitudes, cultura, desejo, aspecto social, emoções. É um conceito mais global, que integra diferentes campos da vida da gente".*

Doutor Jairo Bouer diz que é preciso tratar a sexualidade com mais naturalidade e não demonizar o sexo. São coisas diferentes, mas que nos pertencem. *"O ato sexual em si é muito limitado para se entender a vida de uma pessoa. Não que você não tenha que trabalhar seus preconceitos e discriminação quando imagina o sexo que a outra pessoa faz. 'Ah, ok, ele é homossexual, mas não quero imaginar o sexo que ele faz.' Por que não? Qual é o problema? Por que sexo de um jeito é pior, melhor ou diferente do que sexo do outro jeito? Quando se pensa em transformação social, é um processo muito mais amplo do que o que a pessoa faz na hora do sexo, da cama. O ato sexual é pequeno, diante de toda a nossa sexualidade. E mesmo se a gente pensar no ato em si, por que um ato é pior do que o outro?"*

O preconceito e a falta de conhecimento sobre sexualidade e orientação sexual e de gênero esbarram em tantos lados, que até um conjunto de letras pode ilustrar isso de maneira bem clara. Provavelmente você já ouviu ou até repetiu aquela frase infeliz: "Agora é LGTB não sei mais o quê. Qualquer dia vai ser o alfabeto inteiro". Vá se acostumando porque a sigla LGBTQIA+ ainda é uma espécie de abreviatura de tudo que podemos, queremos e somos. Começou com GLS (Gays, Lésbicas e Simpatizantes). Mas a busca por representatividade, inclusão e direitos de diversas orientações sexuais e identidades de gênero demandou e ainda demanda expansão. Se pregamos o acolhimento, então nada mais justo do que agregar. Então entenda as letras:

L = Lésbicas: mulheres que sentem atração afetiva/sexual pelo mesmo gênero, por outras mulheres.

G = Gays: homens que sentem atração afetiva/sexual pelo mesmo gênero, por outros homens.

B = Bissexuais: homens e mulheres que sentem atração afetivo/sexual pelos gêneros masculino e feminino.

T = Transexuais: pessoas que não se identificam com o gênero que nasceram. O "T" também abriga as travestis, que se identificam com a identidade feminina e constituem um terceiro gênero.

Q = Queer: é uma palavra que significa tudo que não é hétero ou cisgênero. Queer pode ser comparado popularmente a um guarda-chuva da sexualidade. Abriga todas as possibilidades e desejos.

I = Intersexo: é fácil, inter, está entre o feminino e o masculino. Não se enquadra na norma binária de masculino ou feminino.

A = Assexual: quem não sente atração sexual por outras pessoas. Para as pessoas assexuais, relações sexuais não são prioridade, não é uma necessidade.

+ O símbolo + serve para incluir outros grupos e variações de sexualidade e gênero. Como os pansexuais, que sentem atração por outras pessoas, independentemente do gênero.

Pode parecer muito para sua cabeça, caro leitor, e é mesmo. Não é simples compreender de uma só vez tantos termos. Mas a sorte é que temos o conhecimento ao nosso dispor. Deixa-me te contar um causo.

Outro dia me deparei com um colega de trabalho trans. Nos primeiros dias, erroneamente cheguei a chamar no feminino, no outro, no masculino, e a pessoa atendia em ambos os casos. Fui ficando ainda mais confuso. Passei a não chamar nem no masculino, nem no feminino. Você deve estar se perguntando: "Mas logo você, Marcelo, não soube lidar com esta situação?". Sim, eu também não! E aqui me valho da premissa que prego: temos que ter paciência para ensinar e humildade para aprender, sempre. Pois bem, qual era meu dilema neste caso? Primeiramente, jamais desrespeitar meu colega. E ao mesmo tempo acolher, não queria afastar de forma alguma. Eu, gay, vinte anos mais velho, tenho a obrigação de mostrar simpatia e interesse pelo meu novo colega. Já estava no meio da produção deste livro e, por alguns dias, não soube como agir. E isso me incomodava demais. Pensava várias vezes em como agir, o que fazer. Não quis correr para o Google atrás de resposta. Era um caminho que deveria ser aberto por mim, pelos meus princípios e defesas. Até que fiz o mais óbvio e assertivo e que recomendo. Em um momento leve, sem afrontas ou constrangimentos, perguntei: "Como você gostaria que eu te chamasse? Qual gênero?". A resposta veio suave, educada. Tive um misto de sensações. Foi como um tapa na minha cara, por que demorei tanto? Foi um alento ao mesmo tempo. Lembra da ex-colega de trabalho que disse que eu era um desperdício sendo gay e que eu falei que jamais vai esquecer a lição? Pois é, agora a carapuça me serve. Quem jamais vai esquecer esse momento sou eu. E jamais vou repetir tamanha falta de respeito. Já sei como agir.

Confesso que tirei um peso enorme das minhas costas. Aquele encontro diário, com hora marcada, estava se tornando um sofrimento para mim. Porque não queria, de forma alguma, ser indelicado, invasivo ou desrespeitoso. E o que aconteceu daí em diante? Ficamos mais próximos, trocamos experiências de trabalho, tivemos mais entrosamento. Hoje temos um convívio muito próximo, o que me leva a crer que nossa proximidade vai se estender além do trabalho. Vai virar amizade. Contei essa passagem para que você; na dúvida, faça o mesmo. Pergunte, perguntar não ofende. Mas, claro, faça essa pergunta com cuidado, sem plateia. Seja respeitoso. E o que aconteceu comigo conversa muito com o que discutimos antes, as letras que abrigam todos os gêneros, identidades e orientações. É o conhecimento sobre elas que ajuda e transforma o convívio respeitoso e plural. É o contato.

Doutor Jairo Bouer nos lembra de que só com conhecimento é possível desfazer esse preconceito, até mesmo contra um conjunto de letras. É preciso se aproximar, entender. *"A partir do momento em que você, preconceituoso, consegue se aproximar de alguém de uma vivência homo, bi ou trans, você vai perceber que seu preconceito e discriminação vêm do desconhecimento. De nunca ter convivido, nunca ter escutado, se permitido pensar no assunto e sair simplesmente seguindo um padrão de preconceito. Mas a partir do momento em que eu consigo entender, conviver, observar, me aproximar, muitas vezes eu consigo diminuir esse preconceito. Uma sociedade mais diversa, em que as pessoas podem se relacionar independentemente da orientação sexual, torna a vida mais fácil para todo mundo. Para quem é vítima do preconceito e para quem tinha o preconceito. Porque o preconceito, além de fazer mal à vítima, aprisiona quem o pratica."* Então, nada de achar que LGBTQIA+ é muita letra junta. Lembre-se: é representatividade, quem é visto é lembrado.

ESTÁ NO INCONSCIENTE

Sabe quando você quer lembrar o nome de alguém e naquela hora não consegue de jeito nenhum? Mas horas ou dias depois se recorda de quem estava falando. A psicanálise diz que todo homem tem em si uma consciência que não é inteira, mas dividida entre o consciente e o inconsciente. Essa segunda parte é onde ficam armazenadas memórias pessoais e até coletivas da mente. É onde informações como o nome e muitas outras coisas que às vezes queremos lembrar ficam armazenados. Essa é a parte que mais dita nosso comportamento, exatamente por reter mais informações sobre nós. Quando conhecemos alguém ou um lugar novo, nosso inconsciente, baseado nas experiências ou nas informações que temos na nossa mente, vai nos enviar sinais que vão ditar nossa forma de agir – e é aí onde nascem os preconceitos. Com base numa informação do inconsciente, nós julgamos as pessoas de acordo com nossos preceitos e visões de mundo, criando um conceito que não existe sobre alguém, ou seja, um preconceito.

Existem alguns tipos de vieses inconscientes que são mais conhecidos e com certeza você já ouviu falar de alguns. O viés de afinidade, por exemplo, consiste na nossa tendência de avaliar de maneira mais positiva as pessoas com gostos próximos dos nossos e que se parecem com a gente. Já o viés confirmatório nos mostra que só damos o devido valor a dados que confirmam nossas crenças. Outro viés conhecido é o de comportamento de matilha, que explica nossa tendência a seguir ações de grupos de que participamos, é tipo seguir o fluxo. Por último, há um viés inconsciente conhecido como viés de percepção, que é quando reforçamos estereótipos sem nenhuma base concreta. É o "ir no automático" repetindo o que ouvimos ao longo da vida sem refletir ou questionar.

Voltando ao nosso tema, pense em toda a informação distorcida e negativa sobre os LGBTQIA+ que recebemos ao longo de nossa vida, seja na escola, em casa, nos programas de TV, na rua. É a isso que nos referimos quando falamos que muitas pessoas são homofóbicas sem sequer ter noção desse fato. Indivíduos que, com base nos estereótipos e relatos que receberam a vida toda, mantêm uma visão sobre certas pessoas mesmo estando na era da informação, mesmo tendo acesso ao mundo que pode, sim, ajudar a quebrar esses preconceitos. LGBTfóbico não é só aquele que agride ou mata pessoas LGBTQIA+, mas também os que sabe-se lá por qual motivo resistem em tratar a homossexualidade como o que ela realmente é: algo complexo e absolutamente normal. É desse inconsciente que surgem brincadeiras preconceituosas, estúpidas, que magoam. É daí que vêm o comentário indevido, os olhares de julgamento, a associação ao negativo.

Te pergunto: você se considera LGBTfóbico? Talvez você responda que não porque jamais bateria em um gay e até rebate com um: "Eu, homofóbico? Tenho vários amigos que são gays". Aqui, por exemplo, a gente consegue observar o viés de afinidade: a pessoa tem várias afinidades com seus amigos gays, e o fato de eles serem gays é na verdade algo a ser tolerado naquela amizade. O que para nós, LGBTQIA+, não significa amizade, que fique claro. Todos nós temos vieses inconscientes e a melhor forma de impedir que esse lado inconsciente se torne uma sombra é, primeiro, reconhecendo, e segundo, observando como o nosso inconsciente funciona. Ao analisar os tipos de vieses que mais pesam e que mais levo em conta, é possível que eu saia da zona de conforto para quebrar esse viés, e isso é feito de duas maneiras. A primeira é buscando informação com base nos meus preconceitos e depois quebrar essa lógica do inconsciente exatamente se conectando com pessoas que não têm características presentes no meu círculo de amizade. No início, conhecer pessoas que "não têm nada a ver com você" pode parecer pesado, sem justificativa. Mas vai por mim, é realmente dar uma chance a você mesmo e se surpreender com as conexões que pode fazer.

Sabe o que eu fiz para me aproximar do universo trans? Meu primeiro passo foi assistir à série *Pose* da Netflix. Uma das melhores séries a que já assisti, por inúmeros motivos.

Mas o principal foi entender como vivem, o que passam, como pensam e como sobrevivem em um mundo tão cruel. Não é possível eliminar o viés inconsciente de forma total, da noite para o dia. O inconsciente é uma parte poderosa e inseparável do nosso eu. E é fundamental para a nossa sobrevivência. O que podemos fazer é trabalhar o autoconhecimento e analisar nossas ações/reações e o porquê de agirmos de tal forma. Conhecer e reconhecer esse mecanismo é a única maneira de driblar seus preconceitos na hora de conhecer pessoas.

CAPÍTULO 6
É **CRIME** SER **HOMOSSEXUAL?**

Alguns estudos apontam que um quarto da população mundial vive em países onde ter relações homoafetivas é crime. Quase 70 países, que juntos representam 23% da população do mundo, têm leis que punem, até com morte, os LGBTQIA+. Claro, avançamos: na década de 1960, 74% da população mundial vivia em países que criminalizavam relações homoafetivas. Os países estudados fazem parte da Organização das Nações Unidas e preveem multas, prisão, prisão perpétua e até pena de morte como punição. A Associação Internacional de Lésbicas, Gays, Bissexuais, Trans e Intersexuais (ILGA) tem relatórios mundiais sobre os avanços e retrocessos para a comunidade LGBTQIA+. Em 2020, esse relatório mostrou que, no mundo, 69 países tratam as relações entre pessoas do mesmo sexo como crime. E 67 deles têm leis específicas contra a homossexualidade. Arábia Saudita, Brunei, Iêmen, Irã, Mauritânia e Nigéria têm pena de morte, até por apedrejamento, para quem faz sexo com pessoas do mesmo gênero. Já Afeganistão, Emirados Árabes Unidos, Paquistão, Qatar e Somália também preveem pena de morte para homossexuais, mas as leis não são tão escancaradas. Já pensou ficar preso para o resto da vida por ter feito sexo com alguém do mesmo sexo que você? A prisão perpétua para homossexuais existe em Barbados, Bangladesh, Guiana, Qatar, Tanzânia, Uganda e Zâmbia. Em pelo menos 55 países, as penas para quem tem relações homoafetivas vão de três meses a vinte anos de prisão. A Malásia tem uma situação assustadora. Lá, a perseguição à comunidade LGBTQIA+ é tão forte que em 2017 o jornal mais vendido no país publicou um artigo com um guia para identificar gays e lésbicas.

O Brasil é o país que mais mata LGBTQIA+. A cada vinte e seis horas, uma dessas pessoas morre. Em 2019, foram 297 homicídios e 32 suicídios, segundo um relatório divulgado pelo Grupo Gay da Bahia. Ao todo, 329 mortes identificadas, sem contar a subnotificação. Mesmo com tamanha violência, a ILGA coloca o Brasil numa lista de 57 países que têm mecanismos legais de proteção à comunidade LGBTQIA+ e cita inclusive a decisão do STF, que em 2019 colocou a homofobia e a transfobia como crime na lei do racismo. Mas não pense você que aqui nunca tivemos algo parecido às barbáries de outros países. Ser homossexual deixou de ser crime no Brasil em 1831. Até então, valia a lei colonial que previa o seguinte:

quem cometesse "o pecado da sodomia" deveria ser "queimado e feito por fogo em pó, para que nunca de seu corpo e sepultura pudesse haver memória".

GAY TAMBÉM SOFRE MACHISMO

Você pode estar se perguntando: "Gay sofre machismo?". Sim, sofre. É quase matemático, como somar 1 + 1. A homofobia tem origem no machismo, porque ser gay está ligado ao feminino, na cabeça dos preconceituosos. Por exemplo, quando um gay é chamado de afeminado, está sendo alvo de machismo. Ser afeminado aqui é ser menos, é feio, é coisa de mulher. E o machismo diminui a mulher. Se o homem não se interessa por futebol, não fala da gostosa que passa na rua, é viado, é mulherzinha. Mais uma vez, associações que inferiorizam a mulher. Homens, sejam héteros ou gays, não podem ser associados a comportamentos femininos, porque isso seria rebaixá-los. Machismo puro, homofobia gritante.

Mas esse preconceito acontece muito também entre os próprios gays. O homem gay que segue os padrões e comportamentos tidos como masculinos é mais aceito, respeitado e desejado. Sexualmente falando, é visto até como mais desejado e paquerado. É comum entre os gays a expressão "sou gay, mas sou macho", ou "eu não curto caras afeminados", ou "curto macho com outro macho". Conversei com o Bruno Branquinho, psiquiatra e psicanalista especializado em saúde mental da população LGBTQIA+, sobre masculinidade × gays × afeminado. Formado pela USP, ele estuda a consequência do machismo tóxico na comunidade LGBTQIA+.

"Sendo um homem gay, você já vai sofrer por não estar dentro da norma. Você não é uma pessoa heterossexual. Já vai sofrer por ser uma minoria. Mas é claro que, mesmo dentro da comunidade gay, os homens que têm comportamentos mais masculinos, voz mais grossa, porte viril, forte, mais agressivo e hipersexualizado são mais valorizados do que os gays afeminados."

É um gay diminuindo e oprimindo outro gay por este ser afeminado ou não se enquadrar nos padrões de homem gay masculino. É quem sofre preconceito sendo preconceituoso e exatamente pelos mesmos motivos. E isso em detrimento do gay afeminado. Como se ser afeminado significasse ser menos ou mais gay. E aí vem o "mulherzinha", "viadinho", "moçoila", "baitola" como algo menor e associado às mulheres, mais uma vez menosprezadas. Jeito de homem, jeito de mulher. Não tem errado ou certo. Cada um tem o jeito que quer ter. Gays que têm voz fina são sempre associados a bichinhas. E não há nada de errado em ser bichinha ou ter voz mais fina. Certamente você já ouviu: "É só abrir a boca que se entrega com aquela voz de mulher". Ser homem requer voz grossa, pensam os preconceituosos de plantão. Alguns gays falam no feminino, de si e dos outros. Se tratam com palavras como: bicha, senhora, mana, mulher, querida... E são julgados e até rejeitados por adorarem um vocabulário feminino. Sem contar que, quando um gay usa maquiagem, ouve: "Tá vendo, quer ser mulher. Usa maquiagem e pinta as unhas". E daí? Deixe ele ou ela em paz. É você quem paga, faz a maquiagem e desfila com ela por aí?

O psiquiatra Bruno Branquinho diz que o gay afeminado é alvo de um preconceito potencializado. "*Se você começa a ter qualquer característica fora do que é considerado o ideal, dentro do masculino, vai lidar com o preconceito. 'Eu já sou gay e ainda sou afeminado! Não sou bom nos esportes, sou mais ligado à arte, mais sentimental...' Sabendo que tudo isso já é desvalorizado na nossa sociedade, você tem que lidar com o fato de estar fora da norma duas vezes. Ser gay em uma sociedade homofóbica e machista duplica o sofrimento do homem gay.*"

O mesmo se aplica quando falamos das mulheres lésbicas que não podem ser masculinas e costumam ouvir coisas do tipo: "Essa é mais homem do que eu e meus amigos todos juntos". E se for? E isso não desmerece nem você, nem seus amigos e muito menos ela. É comum entre os gays um cara alto, grande, musculoso, tatuado ser julgado porque dança músicas das divas gays rebolando, se requebrando, fazendo caras e bocas. Também tem "voz de traveco", outra expressão preconceituosa que ofende especialmente as travestis. O que há de errado em ter um ou outro tom de voz? Nada. Pare de julgar e se importar.

São inúmeros os exemplos de machismo dos héteros com os gays e dos gays com os gays. Se o hétero chora, facilmente é viado. Se o gay é afeminado, é inferior aos outros. O homem hétero que expressa sentimentos em público é visto como gay ou então meio afeminado. Porque a masculinidade tóxica determina que homem que é homem não manifesta sentimento, não chora, não tem vulnerabilidades nem medos e jamais pode ser fraco. Um homem heterossexual mais educado, delicado e vaidoso é apontado como gay. Vivemos em uma sociedade tão preconceituosa que você não precisa ser gay para sofrer homofobia. Basta não se enquadrar no padrão heteronormativo.

Indo um pouco mais além: as lésbicas e mulheres bissexuais também passam por isso. Mulheres ouvem muito: "meu sonho é ver vocês duas se pegando e depois transar com vocês"; ou "ela tá passando por uma fase porque ainda não achou o homem certo que vai saber como fazer"; e a mais ridícula de todas: "isso é falta de homem". Para os preconceituosos, mulher só pode ter prazer com homem e homem com mulher. É preciso parar com todo e qualquer tipo de machismo. Mulher, homem, gay, bi, trans podem ser quem quiserem, com os comportamentos que quiserem, e eu e você não temos absolutamente nada com isso. E nós, que fazemos parte da comunidade LGBTQIA+, precisamos identificar nossas atitudes preconceituosas, e não as perpetuar, lembra o psiquiatra Bruno Branquinho. *"As pessoas acham que, por fazer parte de uma minoria, a gente não reproduz preconceito. E não é verdade. Pessoas LGBTQIA+ reproduzem todos os tipos de preconceitos porque elas cresceram e viveram em uma sociedade totalmente preconceituosa. Mas, claro, fazer parte de uma minoria ajuda a ter uma mente mais aberta para se questionar. Para você mesmo questionar esses preconceitos e não os repetir."*

NOSSOS DIREITOS

Quando falamos em direitos da comunidade LGBTQIA+ no Brasil, nos referimos basicamente a direitos conquistados por ações na justiça, a maioria no Supremo Tribunal

Federal. As Casas Legislativas, municipais, estaduais e federal pouco se esforçaram para pautar e discutir o tema. O movimento LGBTQIA+ está presente, representado e atuante nessas esferas, mas encontra muita dificuldade para discutir e aprovar projetos que tratam de direitos da comunidade. Uma resistência que não se consegue ultrapassar há décadas é a que está dentro do Congresso Nacional. Para entender a discussão e as conquistas até o momento, conversei longamente com Paulo Iotti, mestre e doutor em Direito Constitucional, especialista em Direito da Diversidade Sexual e de Gênero e em Direito Homoafetivo, advogado, professor universitário e membro do Grupo de Advogados pela Diversidade Sexual e de Gênero (GADVS). Em 2019, Paulo Iotti teve forte atuação nas ações do STF que consideraram a homotransfobia crime de racismo. Hoje, ele é considerado um dos influentes mais atuantes no Brasil em prol dos direitos LGBTQIA+.

"Estamos desde 1988 presentes no Congresso Nacional, tentando criar leis que nos protejam. Em 1988, tentamos aprovar a proibição da discriminação por orientação sexual na Constituição, que ficaria no atual art. 3º, IV, e tentamos novamente na Revisão Constitucional de 1993. Não conseguimos. Projetos de lei de união civil, parceria civil registrada, pacto de solidariedade, união estável sem conversão em casamento, depois união estável e casamento civil com plena igualdade, lei de identidade de gênero, doação de sangue igualitária. Ou seja, o Movimento tentou dialogar, mas com um parlamento conservador, nada andou. Aprovamos a questão de a homotransfobia ser tratada como racismo na

Câmara em 2006, mas a questão morreu no Senado. Depois veio a decisão do STF sobre a união homoafetiva, seguida do Projeto de Lei assinado pela senadora Marta Suplicy para reconhecer a união estável entre 'duas pessoas', o que permitiria a união estável homoafetiva. Posteriormente, o deputado Jean Wyllys apresentou Projeto de Lei de casamento civil igualitário, o que posteriormente também constou do projeto da senadora Marta. Mas nada andou. Tem um Projeto de Estatuto da Diversidade Sexual e de Gênero, que é o PLS 138, de 2018, que foi consolidando as conquistas que tivemos na Justiça e criando outras, mas está parado. São alguns exemplos de que o Movimento sempre marcou e continua marcando posição no Congresso. Mas esse é um Congresso institucionalmente homotransfóbico, naquela lógica da discriminação estrutural, que não é necessariamente intencional. Muitos querem discriminar achando que podem, é a discriminação direta, intencional. Já a discriminação indireta ocorre mesmo sem intenção e tem um efeito discriminatório contra grupos vulneráveis. Ou seja: o Congresso não quer proteger as pessoas LGBTQIA+. No julgamento da homotransfobia no Supremo Tribunal Federal (STF), o Senado peticionou, falando que não tem omissão, porque ele, o Senado, 'decidiu não decidir'. O Congresso quer deixar elas por elas, com um discurso meio cínico, falando não à Constituição que proíbe qualquer forma de discriminação. Mas para se reconhecer direitos LGBTQIA+, por exemplo, como família, eles não querem. Alegam que a Constituição só reconhece união entre o homem e a mulher como família, desrespeitando as decisões do STF a nosso favor. O Congresso não quer, mas o Movimento LGBTQIA+ está lá sempre tentando *e fazendo a luta política, concomitantemente à luta jurídica perante o STF."*

Contei com a ajuda do Paulo para listar quais direitos mais importantes foram conquistados pela comunidade LGBTQIA+ nos últimos anos. Todos em ações judiciais, nenhum por lei.

HOMOFOBIA É CRIME

A decisão é recente: só em 13 de junho de 2019 o STF criminalizou a homofobia e a transfobia, que passaram a ser enquadradas no crime de racismo. Muita gente se perguntou: "Homossexualidade não é raça, por que enquadrar a homofobia como forma de racismo?". O STF entendeu que atitudes hostis em relação a certas categorias de indivíduos caracteriza o conceito de racismo social, enquanto inferiorização desumanizante de um grupo social relativamente a outro, em um sistema de relações de poder entre distintos grupos sociais, e esse conceito foi aplicado para reconhecer a homotransfobia como forma de racismo. Pela literatura negra antirracismo, raça é um conceito político-social e um dispositivo de poder, que visa classificar grupos, subalternizando os inferiorizados para controlá-los, discriminá-los ou até eliminá-los. Daí o STF ter entendido que a homotransfobia é crime "por raça", no sentido político-social de raça e racismo. Durante a votação, os ministros e as ministras deixaram claro que o Congresso Nacional foi omisso ao não enfrentar o tema, que essa omissão é inconstitucional e que ele deve criminalizar atitudes e comportamentos homofóbicos e transfóbicos. Ficou determinado que "praticar, induzir ou incitar a discriminação ou preconceito" em razão da orientação sexual ou identidade de gênero da pessoa constitui crime de racismo, é o que dispõe o artigo 20 da Lei 7716/89, que criminaliza também diversas outras condutas. Com penas que vão de um a três anos de prisão, podendo chegar até cinco, além do pagamento de multa, conforme o caso. Caso haja divulgação ampla de ato homotransfóbico em meios de comunicação, como publicação em rede social, a pena pode aumentar de dois a cinco anos de prisão, mais o pagamento de multa.

O Supremo deixou claro que a aplicação da lei antirracismo é válida até que o Congresso Nacional tenha uma lei específica sobre homofobia e transfobia. Paulo explica que a homotransfobia foi considerada como forma de racismo e isso não deve mudar quando for aprovada alguma lei específica, mas que essa lei tratará do racismo homotransfóbico. E ressalta que, se o Congresso fizer uma "criminalização de mentira" na lei específica que criar, punindo só algumas condutas, então continuará sendo aplicada a lei antirracismo para punir tudo aquilo que o Congresso não criminalizar. Por oito votos a três o STF enquadrou a homofobia no crime de racismo. Votaram a favor os ministros Celso de Mello, Luiz Edson Fachin, Alexandre de Moraes, Luís Roberto Barroso, Rosa Weber, Luiz Fux, Cármen Lúcia e Gilmar Mendes. Os ministros Ricardo Lewandowski e Dias Toffoli entenderem que essa atribuição deve vir por meio de lei do Congresso Nacional. Já o ministro Marco Aurélio reconheceu o pedido da ação. O relator da Ação Direta de Inconstitucionalidade por Omissão foi Celso de Mello, e o do Mandado de Injunção, Edson Fachin. No voto de 155 páginas, o então ministro Celso de Mello fez uma firme defesa dos direitos das minorias, da importância da Constituição e das prerrogativas e competências do STF. Celso de Mello lembrou a fala da ministra da Mulher, Família e Direitos Humanos, Damares Alves: *"O Brasil vive uma nova era, em que menino veste azul e menina veste rosa. Essa visão de mundo, senhores ministros, fundada na ideia, artificialmente construída, de que as diferenças biológicas entre o homem e a mulher devem determinar os seus papéis sociais ('meninos vestem azul e meninas vestem rosa'), impõe, notadamente em face dos integrantes da comunidade LGBT, uma inaceitável restrição às suas liberdades fundamentais, submetendo tais pessoas a um padrão existencial heteronormativo, incompatível com a diversidade e o pluralismo que caracterizam uma sociedade democrática, impondo-lhes, ainda, a observância de valores que, além de conflitarem com sua própria vocação afetiva, conduzem à frustração de seus projetos pessoais de vida".*

Ainda durante o voto, o ministro Celso de Mello lembrou o direito à autodeterminação do próprio gênero ou à definição de sua orientação sexual. *"A questão da homossexualidade, surgida em um momento no qual ainda não se debatia o tema pertinente à 'ideologia de gênero', tem assumido, em nosso País, ao longo de séculos de repressão, de intolerância e de preconceito, graves proporções que tanto afetam as pessoas em virtude de sua orientação sexual (ou, mesmo, de sua identidade de gênero), marginalizando-as, estigmatizando-as e privando-as de direitos básicos, em contexto social que lhes é claramente hostil e vulnerador do postulado da essencial dignidade do ser humano. É por isso que se pode proclamar que o Supremo Tribunal Federal desempenha as suas funções institucionais e exerce a jurisdição que lhe é inerente de modo compatível com os estritos limites que lhe traçou a própria Constituição, pois esta Corte Suprema não tolera a prepotência dos governantes, não admite os excessos e abusos que emanam de qualquer esfera dos poderes. Esta Corte Suprema não se curva a pressões de grupos sociais majoritários que buscam impor exclusões e negar direitos a grupos vulneráveis e isso significa, portanto, reconhecer que a prática da jurisdição constitucional, quando provocada por aqueles atingidos pelo arbítrio, pela violência, pelo preconceito, pela discriminação, e pelo abuso, não pode ser considerada, ao contrário do que muitos erroneamente supõem e afirmam, um gesto de indevida interferência da Suprema Corte na esfera orgânica dos demais poderes da República. O STF, ao suprir as omissões inconstitucionais dos órgãos estatais e ao adotar medidas que objetivem restaurar a Constituição violada pela inércia dos Poderes do Estado, nada mais faz senão cumprir a sua missão constitucional e demonstrar com este gesto o respeito incondicional que os juízes deste tribunal pela atualidade da lei fundamental da República."*

Veja algumas frases dos ministros e ministras que votaram a favor.

Ministra Cármen Lúcia

"A reiteração de atentados decorrentes da homotransfobia revela situação de verdadeira barbárie. Quer-se eliminar o que se parece diferente física, psíquica e sexualmente."

Ministro Luiz Edson Fachin

"A omissão da lei em tipificar a discriminação por orientação sexual ou identidade de gênero 'ofende um sentido mínimo de justiça ao sinalizar que o sofrimento e a violência dirigida à pessoa gay, lésbica, bissexual, transgênera ou intersex é tolerada, como se uma pessoa não fosse digna de viver em igualdade. A Constituição não autoriza tolerar o sofrimento que a discriminação impõe'."

Ministro Gilmar Mendes

"A orientação sexual e a identidade de gênero devem ser consideradas como manifestações do exercício de uma liberdade fundamental, de livre desenvolvimento da personalidade do indivíduo, a qual deve ser protegida, livre de preconceito ou de qualquer outra forma de discriminação."

Ministro Luiz Roberto Barroso

"Não escapará a ninguém que tenha olhos para ver e coração para sentir que a comunidade LGBT é claramente um grupo vulnerável, vítima de discriminações e de violência. Sendo assim, o papel do Estado é intervir para garantir o direito dessas minorias."

Ministra Rosa Weber

"O fim desejado da igualdade jurídica, materialmente somente é alcançado com tratamento desigual entre desiguais."

Ministro Luiz Fux
"Se uma pessoa é atingida por uma bala perdida, estaríamos diante de homicídio. Mas um delito dirigido contra alguém com motivação por preconceito é homofobia. Se um casal estava num banco traseiro de um veículo e é agredido, isso é homofobia, por quanto fato gerador do delito a motivação é homofóbica."

Ministro Alexandre de Moraes
"A premissa básica do Estado Constitucional é a existência de complementaridade entre Democracia e Estado de Direito, pois, enquanto a Democracia consubstancia-se no governo da maioria, baseado na soberania popular, o Estado de direito consagra a supremacia das normas constitucionais, editadas pelo poder constituinte originário, o respeito aos direitos fundamentais e o controle jurisdicional do Poder Estatal, não só para proteção da maioria, mas também, e basicamente, dos direitos da minoria."

NOME SOCIAL

O nome social é como travestis e transexuais, seguindo o gênero com que se identificam, querem ser chamadas (e chamados, no caso dos homens trans). Isso independe daquele nome que a pessoa recebeu ao nascer e que consta na certidão de nascimento. Em 2018, o Supremo Tribunal Federal autorizou a mudança de nome civil e sexo no registro civil, sem a cirurgia de adequação do corpo à identidade de gênero, laudos ou decisão judicial. Desde então é possível escolher como se deseja ser chamado, basta ir a um cartório e solicitar a mudança. Note-se que o nome social é o usado antes de alteração do nome civil, então aquele conceito continua tendo importância, para as pessoas trans que ainda não mudaram seus documentos. O nome social já pode ser usado durante atendimentos no SUS, o Sistema Único de Saúde, para fazer a inscrição no Exame Nacional do Ensino Médio (Enem) e em instituições financeiras como nos cartões e contas bancárias, ordens de pagamentos e correspondências. Bem como na Administração Pública Federal e em algumas estaduais e municipais, que aprovaram decretos ou leis tratando do tema.

CASAMENTO CIVIL

Desde a década de 1990 estão no Congresso Nacional vários projetos de lei, que não andam, sobre união entre pessoas no mesmo sexo. Só em 2011 o Supremo Tribunal Federal reconheceu a união estável entre casais do mesmo sexo como uma entidade familiar. Em 2018, o STF reafirmou esse entendimento. Então, a partir de 05 de maio de 2011, casais homossexuais passaram a ter os mesmos direitos previstos na Lei 9.278/1996, a Lei de União Estável, e dos artigos 1.723 a 1.726 do Código Civil, que também disciplinam a união estável. Ainda em 2011, o Superior Tribunal de Justiça reconheceu o direito ao *casamento civil* entre casais do mesmo sexo. Em 2013, o Conselho Nacional de Justiça determinou que os Cartórios de Registro Civil são obrigados a celebrar casamentos civis homoafetivos, tanto por conversão de prévia união estável quanto de forma direta, independentemente de união estável.

ADOÇÃO

Como no caso do casamento civil, a adoção de filhos por casais homoafetivos no Brasil também só é possível por uma consequência da Justiça. Desde 2008 o Superior Tribunal de Justiça admite que casais homoafetivos adotem filhos. Com o reconhecimento da união estável e do casamento civil entre casais homoafetivos, tidos como entidades familiares com igualdade de direitos aos casais heteroafetivos, consolidou-se esse direito, decidindo o STJ que, com o reconhecimento da união estável homoafetiva, a adoção de filhos por parte de casais homoafetivos é possível, já que a lei permite a adoção conjunta a casais casados ou em união estável. No STF, decisões monocráticas (isoladas) do Ministro Marco Aurélio e da Ministra Cármen Lúcia também determinaram que casais homoafetivos têm o direito de adotarem crianças, independentemente da idade.

PROCESSO DE REDESIGNAÇÃO SEXUAL

Em 2008, o SUS, por condenação judicial do TRF/4, da qual a União não recorreu, passou a oferecer o processo de resignação sexual, popularmente conhecido como "mudança de sexo", que Paulo Iotti prefere chamar de cirurgia de adequação corporal à identidade de gênero da pessoa. O serviço de saúde está à disposição, mas a espera é longa. Em sustentação oral de 2017 no STF, sobre o julgamento do direito de mudança de nome e sexo de pessoas trans, Paulo Iotti destacou que há pessoas trans que esperam mais de dez anos na fila do SUS, pois na época só quatro hospitais (depois, passaram a ser cinco) no país inteiro realizam o procedimento. E só recentemente a cirurgia em homens transexuais ("biologicamente mulheres") deixou de ser considerada experimental.

ALTERAÇÃO DO NOME NO REGISTRO CIVIL

Só em 2018 é que, mais uma vez, o STF reconheceu o direito do cidadão e da cidadã transgênero a mudar seus documentos, adequando-os à sua identidade de gênero. Assim, pessoas trans passaram a ter o direito de alterar o nome no registro civil, sem que tenham se submetido à cirurgia e sem ter que apresentar laudos e ação judicial. Desde então basta ir a um cartório e solicitar a mudança por meio de uma autodeclaração, levando certidões negativas de processos e protestos. Paulo critica decisões que negam a mudança a quem tem alguma dívida ou processo, pois basta informar o cartório onde a dívida está inscrita ou o Juízo onde existe o processo da mudança para se resolver o problema. E ele defende que o próprio cartório faça a pesquisa, pois tudo se consegue on-line, só que as pessoas trans, em situação de muita vulnerabilidade, têm dificuldades de conseguir fazer essa pesquisa, ao contrário dos cartórios. Paulo defende que o CNJ aprove norma estabelecendo isso, e aponta a necessidade de reconhecimento de gratuidade para pessoas trans sem condições de pagarem os custos do cartório. Atualmente, elas são obrigadas a entrar na Justiça, obtendo justiça gratuita ao apresentarem declaração de impossibilidade de pagar os custos sem prejuízo do próprio sustento, o que acaba frustrando a decisão do STF de que o procedimento seja feito diretamente em cartório. Paulo defende a adoção do mesmo critério, declaração de impossibilidade de pagamento sem prejuízo do próprio sustento e da sua família, também em sede de cartórios, até porque prestar declaração falsa constitui crime e, na experiência dele, transmitir a informação afasta a conduta de quem aparentemente mentiria na declaração.

DOAÇÃO DE SANGUE

Em maio de 2020, o STF liberou a doação de sangue para "homens que fizeram sexo com outros homens nos últimos doze meses", logo, a doação de sangue foi liberada para homens gays e bissexuais, mas também para as mulheres transexuais e as travestis, que eram transfobicamente identificadas como "homens", por critério biológico, como explicou Paulo em petição em nome do GADVS nesse processo. Até então valiam as normas do Ministério da Saúde e da Agência Nacional de Vigilância Sanitária (Anvisa), que limitavam a doação de sangue a "homens que fizeram sexo com outros homens nos últimos doze meses", e não a "homossexuais" e a "bissexuais" (as mulheres lésbicas e bissexuais podiam doar sangue mesmo à luz da norma anterior da Anvisa). O Supremo entendeu que esse tratamento diferenciado para a doação de sangue viola os princípios da dignidade humana e da igualdade, conforme trecho da decisão: "de forma injustificadamente desigual, afrontando-se o direito fundamental à igualdade". Sabemos bem, especialmente no

Brasil, que uma lei em vigor não significa necessariamente que esteja sendo aplicada na prática. Até hoje (escrevo mais de dois anos depois que a homotransfobia foi reconhecida como crime de racismo), não há levantamentos ou estatísticas que mostrem condenações por homofobia, nos lembra Paulo Iotti.

"Toda minoria tem dificuldade de tirar lei antidiscriminatória do papel, você tem falado muito do racismo estrutural e a homotransfobia sendo considerada ou não racismo, eu sempre falo que concordo com o conceito, mas seja como for, a homotransfobia é estrutural, como muitas formas de discriminação também são. Então, por exemplo, quando a mulher vai à delegacia para registrar um B.O. de violência doméstica, há delegados e/ou escrivães que viram pseudopsicólogos de quinta categoria e tentam convencer a mulher a não fazer. Não estou dizendo que seja a maioria, mas é um problema social que existe. Ou, outro exemplo, quando a população LGBTQIA+, principalmente as travestis, vão a uma delegacia e escutam: 'Isso não é crime', e precisam de advogado ou advogada para conseguir que as coisas andem seja na própria delegacia, seja na Justiça. Isso mostra que existe essa resistência estrutural do sistema de justiça penal para o enfrentamento das opressões em geral. Tendo a homotransfobia sido reconhecida como racismo, eu acredito que o Movimento LGBTIQIA+ vai ter a mesma dificuldade do Movimento Negro para tirar a lei antirracismo do papel."

Perguntei ao Paulo se ele considera que corremos risco de retrocesso. Se os diretos, por terem sido adquiridos por decisões judiciais, por não estarem previstos em lei, podem ser revistos. "*Daqui dez ou vinte anos, e com uma nova composição do Senado, pode ser que mudem a decisão. Na teoria jurídica, não basta a mera mudança de composição do Tribunal para justificar mudança de jurisprudência. Mas no mundo real, da* RealJuridik, *sabemos que, muitas vezes, funciona assim. Mas temos que lembrar que o nosso Supremo é um tribunal maravilhoso para proteger da discriminação minorias e grupos vulneráveis em geral. Defendo que é muito importante estar previsto em lei, para termos mais segurança jurídica, pois é mais difícil mudar a lei do que mudar uma decisão judicial por nova composição de Tribunal. E mudar a Constituição pelo mesmo motivo naquilo que for necessário, por exemplo, alterar a expressão "entre o homem e a mulher" por "entre pessoas", pois embora não seja necessária a alteração para quem leva o Direito a sério, a mudança encerraria a polêmica sobre o tema. Ou seja, por um lado, não precisa mudar a lei e a Constituição para proteger a cidadania das pessoas LGBTQIA+ e reconhecer que não somos cidadãs e cidadãos de segunda classe, e as decisões do Supremo mostram isso. Mas mudar a lei e a Constituição nos dará maior segurança jurídica. Sendo previsto em lei, qualquer retrocesso é mais custoso. Para mudar, para cassar o direito, tem que mudar a lei ou a Constituição novamente. Assim, se houver qualquer movimento contra, teremos um argumento a mais pela inconstitucionalidade do retrocesso.*" Todo retrocesso social é inconstitucional. O STF reconhece a existência do princípio da proibição do retrocesso social, declarando inconstitucionais revogações de direitos ou sua diminuição de forma que os inviabilize na prática."

O **All Out,** um movimento global em defesa do amor e da igualdade, diz: *"Mobilizamos milhares de pessoas para construir um mundo onde ninguém tenha que sacrificar sua família ou liberdade, sua segurança ou dignidade, por ser quem é e amar quem ama".*

O movimento realizou uma pesquisa coordenada pelo **Instituto Matizes** e apontou as 34 barreiras no Brasil para o reconhecimento institucional e a aplicação da decisão do STF que enquadrou a LGBTfobia como crime e racismo. A pesquisa foi realizada dois anos depois da decisão do STF e diz: *"Ao longo da pesquisa, tivemos acesso a relatos em que as vítimas foram desencorajadas em postos de atendimento e delegacias a ingressar com uma denúncia formal. Outras situações descrevem tentativas de agentes de segurança e do sistema de justiça em desconsiderar ou diminuir a gravidade da natureza LGBTIfóbica da violência cometida pelo agressor. Uma das faces recorrentes da violência institucional LGBTIfóbica é a relativização da narrativa das vítimas como forma de obstruir o acesso dessa população à justiça. Embora seja possível identificar episódios explícitos de violência institucional em ações e condutas cometidas por um órgão ou agente público, essa modalidade de violência pode ocorrer de maneira menos evidente e direta. Mesmo quando a vítima toma a iniciativa de denunciar, novos empecilhos são impostos na hora de comprovar a agressão e de convencer o agente ou órgão público a entender que a agressão motivada por LGBTIfobia é uma violência. O despreparo de agentes e órgãos públicos em acolher a vítima de LGBTIfobia ou reconhecê-la como tal também resulta, em grande parte dos casos, na desconfiança de ingressar ou prosseguir com a denúncia. Esses episódios demonstram que* *a violência institucional ocorre não apenas quando agentes e órgãos públicos agem de forma inadequada ou irregular, mas também na omissão do Estado em coibir violências e garantir acolhimento, a proteção à vítima e o reconhecimento da agressão sofrida. Erradicar a violência institucional LGBTIfóbica em todas as suas manifestações é, mais do que uma necessidade, uma condição urgente para combater as demais formas de violência sofridas pela população LGBTQIA+. Afinal, para que a criminalização da LGBTIfobia seja uma realidade no Brasil, é central que as pessoas LGBTQIA+ possuam as condições necessárias para denunciar e terem reconhecida e apurada a violência sofrida. O papel do Estado em assegurar tais condições não é opcional. Trata-se, pelo contrário, de um dever de seus órgãos e agentes em reconhecer a plena cidadania da população LGBTQIA+ no Brasil".*

CAPÍTULO 7
REPRESENTATIVIDADE NO PODER

Já escrevi sobre o quanto a representatividade é importante para a conquista de espaço e direitos. O número de políticos que se identificam com a causa LGBTQIA+, que ocupam cargos eletivos e foram eleitos pelo povo é cada vez maior. Isso é um exemplo de força. Vou contar a história de alguns.

O GOVERNADOR

Enquanto escrevia este livro, no início do mês de julho de 2021, fui pego de surpresa. Estava apresentando o jornal *Em Pauta* ao vivo quando meu celular começou a vibrar freneticamente, com mensagens individuais e nos grupos. Amigos, conhecidos e jornalistas me encaminhando o assunto que dominaria o mundo político e a comunidade LGBTQIA+ nos dias seguintes. O governador do Rio Grande do Sul, Eduardo Leite, havia declarado sua sexualidade. "Sou gay", disse ele, ao programa *Conversa com Bial*, da TV Globo. Eduardo é natural de Pelotas, cidade que fica ao lado de Rio Grande, onde nasci, no Rio Grande do Sul. Foi em Pelotas que cursei Jornalismo. Conheci Eduardo Leite quando ele era prefeito de Pelotas e ia até Brasília, onde eu morava e trabalhava, em busca de recursos para a cidade que administrava. O convívio entre o jornalista e a fonte continuou quando ele foi eleito governador do Rio Grande do Sul. Eduardo Leite passou a ser um dos vários governadores com quem converso eventualmente para me informar, entender a realidade, ouvir. Isso se acentuou especialmente durante a pandemia do novo coronavírus. Dessa vez, fiz contato com o governador gaúcho não para falar sobre sua administração, mas sobre sua revelação. De pronto, ele aceitou dar uma entrevista para este livro. Na conversa, eu não quis saber o que todos nós já sabemos. Queria ouvir do Eduardo as histórias e vivências antes do momento em que todos ouviram da boca dele: "Eu sou gay". Eduardo Leite me contou que sua adolescência e o início da fase adulta foram "seguindo o fluxo". Dos 17 aos 21 anos, ele namorou uma menina. Depois, teve outra namorada. Só aos 25 anos é que deu o primeiro beijo em outro homem, quando já era prefeito de Pelotas, depois de ter sido vereador. Venceu a primeira eleição aos 23 anos. Não teve coragem de assumir para família e para os amigos sua primeira paixão por um homem. Aos 27 anos, já como prefeito, se apaixonou novamente por outro homem e então começou o primeiro namoro gay. Foi quando sentiu necessidade e segurança para contar aos irmãos e amigos. Com os pais, Eduardo Leite nunca teve aquela conversa marcante para falar sobre sua sexualidade. Mas se recorda exatamente do momento em que se sentiu acolhido pelo pai. Homem público, Eduardo lembra com clareza as inúmeras vezes em que foi ameaçado e chantageado em relação à sua sexualidade, especialmente nos momentos de disputa política, como em dias de debates na TV. Hoje, aos 36 anos e governador de um estado considerado por muitos o mais conservador e preconceituoso do Brasil, perguntei como foram os dias seguintes à sua declaração. "Sou um governador gay, e não um gay governador", ele me respondeu. Sabendo de suas pretensões políticas, também perguntei se acha que o Brasil está preparado para ter um presidente da República gay. Confira a nossa conversa.

GOVERNADOR, QUANDO SE PERCEBEU GAY? COM QUE IDADE, E COMO FOI?

"Tive muitos conflitos na minha adolescência. Eu percebia minha atração por homens, mas não aceitava. Acabei tendo um relacionamento com uma menina dos 17 anos até os 21. Namoramos por quatro anos, mas não me apaixonei. Depois tive outro namoro com uma menina, namoramos por mais ou menos um ano. Mas nada de paixão. A atração por homens existia, mas estava censurada em mim. Só com 25 anos é que eu tive meu primeiro beijo com outro homem. Só então me permiti ter um relacionamento com alguém do meu sexo. Voltou à tona aquele desejo da adolescência e eu me permiti estar com outro homem.

"O interessante é que lembro exatamente quando e como aconteceu. Eu já era vereador em Pelotas e tive uma reunião com um grupo de arquitetos para discutir um plano diretor. Deixei meu cartão com cada um deles e um deles começou a me mandar mensagens, dando em cima de mim, me dizendo: 'Eu sei do que você gosta'. Respondi: 'Não estou te entendendo'. E ele retrucou: 'Eu sei que você já teve um caso com o fulano e tal'. Era mentira porque eu nunca tinha tido absolutamente nada. Conversei com uma amiga, contei o que estava acontecendo, e ela me disse: 'Já que você está me contando isso, eu também já ouvi umas histórias a seu respeito'. E eu nunca tinha tido nenhum relacionamento com homens, absolutamente nada.

"Um tempo depois, outro cara veio dar em cima de mim. Foi quando eu pensei: *Se estão inventando histórias a meu respeito sem ser verdade, se eu fizer alguma coisa vai ser só mais uma história.* Então foi ali que tive o meu primeiro relacionamento homossexual. Não fiquei em crise ou conflito nem me recriminei por isso. Mas tinha receio do que pudessem falar, dos preconceitos e acabei não me permitido viver aquela história. Quando percebi que estava realmente apaixonado, já era tarde demais."

QUANDO TEVE O PRIMEIRO NAMORADO?

"Tive esse relacionamento aos 25 anos, mas ninguém soube, ninguém sabia. Só aos 27, logo depois de me eleger prefeito, tive o primeiro namoro mais oficial, público, com os amigos envolvidos."

QUEM FOI A PRIMEIRA PESSOA PARA QUEM VOCÊ CONTOU?

"Não lembro bem, mas foi para alguma amiga. É mais fácil conversar com as mulheres sobre esse assunto. Não tive preocupação de ter uma conversa com minha família. Nunca parei e disse: 'Preciso contar uma coisa para vocês'. Quando estava com esse namorado, aos 27 anos, simplesmente disse para meus irmãos: 'Quero convidar vocês para jantar, quero apresentar alguém para vocês'. Levei o meu namorado e o apresentei, numa boa. E os meus irmãos ficaram encarregados de contar para os meus pais. Os meus pais ficaram sabendo e foi supernatural dentro de casa."

NÃO HOUVE ESSA CONVERSA COM SEUS PAIS PORQUE VOCÊ NÃO VIU NECESSIDADE OU NÃO TEVE ESSA CORAGEM?

"Não houve a necessidade. Mas não sei se foi falta de coragem, de sentar e conversar. A gente sabe que tem pais que são de outra geração, é complicado. Quando era vereador em Pelotas, fui procurado pelo pessoal que organizava a Parada Gay. Além da parada, eles promoviam seminários sobre LGBTQIA+ e estavam em busca de apoio na Câmara. Estava difícil, e eu me ofereci para apoiá-los. Me juntei a outros vereadores e eles me convidaram para palestrar no seminário sobre Direito LGBTQIA+.

"Antes de ir para o seminário falar sobre esse assunto, conversei com meu pai, que é advogado de Direito Civil, especializado em Direito de Família. Ele pegou um recorte de jornal dos anos 1970, numa página aparecia um padre, se não me engano, falando contra a lei do divórcio, cuja votação vinha sendo debatida, e o meu pai estava na outra coluna, defendendo a lei do divórcio. Meu pai usou aquele exemplo para sustentar também o casamento entre pessoas do mesmo sexo. Ele dizia o seguinte: 'O casamento nada mais é do que a declaração pública de uma relação de afeto que se estabelece e da qual vai se produzir efeitos matrimoniais, efeitos perante terceiros. Portanto, o divórcio nada mais é do que a declaração pública de que aquela relação já acabou. Se você declara publicamente uma relação de afeto, duas pessoas juntas vão estabelecer uma vida, é importante juridicamente que, depois, seja publicado que aquela relação acabou'.

"Ele usou aquele exemplo para dizer que, se o casamento é essa declaração pública de afeto, o afeto pode acontecer entre duas pessoas do mesmo sexo. Portanto, o casamento gay precisa ser admitido. O meu pai defendeu aquilo naquela conversa comigo. Cheguei a pensar em contar para ele, mas já me sentia acolhido com aquele entendimento que ele apresentou sobre o que é a união de pessoas do mesmo sexo. Então eu sentia que haveria acolhimento da minha família e não tratei do assunto diretamente com eles. Depois, apresentei meu namorado para eles sem a preocupação de ter uma conversa sobre o assunto."

DEPOIS QUE FALOU SOBRE SUA SEXUALIDADE, COMO GOVERNADOR E TAMBÉM NO SEU DIA A DIA HOUVE ALGUMA REAÇÃO, VOCÊ FICOU MAIS LEVE COM VOCÊ MESMO? COMO FORAM OS DIAS SEGUINTES?

"Foi muito bacana porque recebi centenas de mensagens pelo celular, WhatsApp e incontáveis mensagens pelas redes sociais. Senti muito acolhimento dentro da minha turma de trabalho, da equipe de governo, da política e de aliados que são, a princípio, mais conservadores, mas tiveram o cuidado de mandar uma mensagem para expressar acolhimento. E recebi mensagens até de adversários que, mesmo sendo mais progressistas, como adversários não tinham a obrigação de se manifestar, mas se preocuparam em me escrever. Isso me deixou muito motivado, especialmente neste clima de ódio em que a política está. Há afeto na política, e a gente pode fazer política com respeito. Fiquei especialmente feliz por isso e mais leve porque, enfim, posso circular com meu namorado sem qualquer preocupação. Eu já circulava, mas rolavam umas piadinhas, como se eu tivesse algo a esconder, e isso deixou de ser agora um assunto.

SENDO UMA PESSOA PÚBLICA, O PRECONCEITO É MAIS VELADO. MAS VOCÊ PASSOU POR ALGO QUE TE MARCOU? ALGUM EPISÓDIO DE HOMOFOBIA, ALGO QUE O TENHA MACHUCADO, OFENDIDO?

"Não posso comparar qualquer sofrimento que eu tenha passado com o de muita gente que se declara gay. Por ter uma posição social privilegiada, ser homem, branco, com uma família de boa posição social, ser servidor público... Não dá para comparar com gays com uma situação de vulnerabilidade, que sofrem preconceito social e racial, entre outras coisas. Mas lembro da tentativa de outras pessoas de me fragilizar, me vulnerabilizar. Quando fui candidato a prefeito, por exemplo, nos dias de debate eu recebia mensagens de números desconhecidos, dizendo: 'Hoje a gente vai revelar fotos suas com alguém, fotos comprometedoras.' Eu sabia que aquelas fotos não existiam. Era só uma tentativa de usar aquela pauta para me constranger. Houve tentativas como essa no início da minha caminhada como político. Queriam usar a minha opção sexual para me meter medo e tentar impedir que eu continuasse na vida pública".

DEPOIS DA SUA REVELAÇÃO, VEM O ACOLHIMENTO, MAS TAMBÉM A COBRANÇA PARA QUE VOCÊ DEFENDA A PAUTA LGBTQIA+. SENTIU QUE AUMENTOU A SUA RESPONSABILIDADE?

"Acho que é natural. Não sou um ativista, mas um defensor da causa. É importante que haja os ativistas que defendam intransigentemente, tragam o tema à tona e façam da sua vida uma luta por essa causa. Como governante, eu não olho apenas para essa causa, e sim para tantas outras pautas. Não serei monotemático, mas sempre defendi a pauta LGBTQIA+ desde os tempos como vereador e prefeito. Mesmo antes de eu me aceitar gay, nós sempre defendemos e trouxemos a causa LGBTQIA+ sem qualquer medo ou receio. Como governador, temos a primeira secretária adjunta transexual do governo do estado, talvez uma das primeiras do Brasil, se não a primeira, que inclusive nos fez ajustar a questão do banheiro feminino. O Congresso só passou a ter banheiro feminino quando deputadas mulheres passaram a ocupar o espaço. A rampa para acessar o plenário só foi construída quando houve deputados portadores de necessidades especiais. No nosso centro administrativo, o banheiro se mostrou um problema quando tivemos uma secretaria transexual. Tivemos que avançar na direção de deixar claro que os banheiros eram sem preconceito. A gente colocou no centro administrativo placas com a frase 'banheiro sem preconceito'. A pessoa que se identifica com aquele gênero pode usar o banheiro que quiser. E todo mundo que usa sabe que é o banheiro sem preconceito.

"Sempre defendi a causa e vou continuar defendendo, não por ser gay, não por defesa de uma causa própria, mas por acreditar muito na igualdade, que tem de ser promovida. Defendo a igualdade racial, o combate ao preconceito religioso, ao preconceito de gênero, ao machismo. Precisamos reconhecer a diversidade como valor para nossa sociedade e parar de transformar num passivo, querendo transformar isso em um problema. Na verdade, a diversidade é um valor, uma riqueza da nossa população."

NA CONVERSA COM BIAL, O SENHOR FALOU QUE É UM GOVERNADOR GAY, E NÃO UM GAY GOVERNADOR. ACHA QUE O BRASIL ESTÁ PREPARADO PARA TER UM PRESIDENTE GAY?

"Eu não sei se isso será imediatamente, mas assim como tantas mulheres precisaram lutar pelo direito político das mulheres de votar e de serem votadas, isso antes que uma mulher fosse eleita pela primeira vez, é importante abrir caminhos para que isso aconteça com naturalidade. E se acontecer, que não seja eleito por ser gay, mas pelos motivos que fazem ser eleitos uma mulher, um presidente negro nos Estados Unidos. Até houve críticas de alguns ativistas, que questionaram qual era o problema de ser um gay governador. Nenhum. Aquele gay que exerce uma função, qual a diferença de ser governador, presidente ou prefeito? É gay e acabou, é uma característica. Mas eu vejo um acolhimento na população. Nunca escondi ser gay, não falei a respeito, nunca criei um personagem na minha carreira política, nem como prefeito nem como governador. Nunca tentei fazer as pessoas acreditarem que eu não fosse, sempre tomei esse cuidado, e esse assunto não foi trazido, não foi relevante, apesar dos ataques que foram feitos 'no subterrâneo'", principalmente nas redes sociais."

O SENADOR

Este livro já estava sendo revisado quando o senador Fabiano Contarato, que eu havia entrevistado em julho, protagonizou um ato histórico no senado. Durante uma das sessões da CPI da Covid, transmitida ao por televisões e sites, ele respondeu a um ataque homofóbico que recebeu. Foi dado a ele o acento de presidente a CPI, e na mesma altura do olhar de quem proferiu a ofensiva, o senador Fabiano Contarato disse:

"Eu aprendi que a orientação sexual não define caráter".

"Qual o conceito de moralidade do senhor? Qual a imagem que o senhor vai deixar para os seus filhos?"

"A mesma certidão de casamento que o senhor tem, eu também tenho."

"Eu sonho com o dia em que eu não vou ser julgado por minha orientação sexual. Sonho com o dia em que meus filhos não serão julgados por serem negros. Eu sonho com um dia em que minha irmã não vai ser julgada por ser mulher e que meu pai não será julgado por ser idoso."

Desde 1º de janeiro de 2019 temos no Congresso Nacional o primeiro senador da república publicamente gay. Fabiano Contarato foi eleito pelo estado do Espírito do Santo. Professor de Direito, foi delegado de polícia por dez anos, diretor estadual do departamento do trânsito e corregedor-geral do Estado na Secretaria de Estado de Controle e Transparência. Foi o senador mais votado em seu estado em 2018 e se tornou o primeiro senador assumidamente gay. Fabiano é casado desde 2017 com Rodrigo, com quem tem um relacionamento de mais de dez anos. São pais de dois filhos lindos, um menino e uma menina. Posso dizer que são lindos porque no final de semana que fiz o primeiro contato com o senador, pedindo uma entrevista para este livro, ele respondeu que naquele momento não poderia, e justificou enviando um áudio: "Oi, querido Marcelo, tudo bem? Agora eu estou com meus filhos. Podemos fazer isso durante a semana?". E junto enviou uma foto todo sorridente com a filha e o filho. Dias depois, fizemos a entrevista a seguir.

COMO É CHEGAR AO SENADO SENDO O PRIMEIRO SENADOR PUBLICAMENTE GAY?

"O Senado é uma instituição muito conservadora. Muito branca e masculina. Todos que fogem dessas regras são exceções e enfrentam um certo estranhamento. Não foi diferente comigo. Não podemos esquecer que mulheres e pessoas negras são a maioria na sociedade brasileira. No entanto, ainda constituem a absoluta minoria do Senado. Precisamos lutar para aumentar a diversidade nos espaços de poder e esta é uma das minhas missões no Senado.

"Sei também da importância da representatividade. Se sou o primeiro senador abertamente gay, espero que tenha aberto algumas portas para que outros venham no futuro próximo. Humildemente, espero que meu mandato sirva de inspiração para outros homens gays, para mulheres lésbicas, para pessoas transexuais e travestis. A política é para todos e todas, ainda que tenhamos que lutar muito mais para chegar lá."

OS DIREITOS CONQUISTADOS PELA COMUNIDADE LGBTQIA+ FORAM GARANTIDOS POR DECISÕES JUDICIAIS, ESPECIALMENTE PELO STF. POR QUE ESSAS PAUTAS NÃO ANDAM DENTRO DO CONGRESSO? O SENHOR JÁ PERCEBEU O MOTIVO DESSA RESISTÊNCIA? QUAL É?

"Infelizmente, há um conservadorismo muito grande no Congresso Nacional. Esse conservadorismo impede que sejam discutidos projetos que tratam da diversidade de orientações sexuais e identidade de gênero. Há um estigma completamente injustificado em torno da palavra 'gênero'. Por conta desse cenário, os movimentos sociais focaram, corretamente, seus esforços no Judiciário, onde tantos dos nossos direitos básicos foram conquistados. Mas precisamos, agora, nos voltar para o Legislativo e enfrentar esses obstáculos para garantir a efetividade desses direitos."

O SENHOR TEM ALGUM PROJETO VOLTADO PARA A COMUNIDADE LGBTQIA+?

"Sim, ao longo dos últimos dois anos e meio já apresentei alguns projetos voltados especificamente para a comunidade LGBT e espero, nos próximos meses, apresentar muitos outros e trabalhar para sua aprovação no Senado Federal. Os projetos que apresentei foram: PL 420/2021 – Determina a inclusão de perguntas sobre orientação sexual e identidade de gênero nos questionários aplicados à população por ocasião do censo demográfico. A medida permitirá ao poder público ter dados estatísticos qualificados para reverter a escassez de políticas públicas destinadas à população LGBTQIA+. PL 2352/2021 – Altera o Código Penal Militar para excluir o termo discriminatório 'pederastia' e para incluir como circunstância agravante de qualquer crime militar a motivação de discriminação por orientação sexual e identidade de gênero. PL 2353/2021 – Proíbe a discriminação com base na orientação sexual de doadores de sangue. PL 2354/2021 – Altera o Estatuto de Defesa do Torcedor para vedar e punir condutas homofóbicas e transfóbicas em estádios e eventos esportivos.

"Nossa atuação como parlamentar, no entanto, vai além de apresentação e discussão de propostas legislativas. Fiscalizamos as despesas da União e foi assim que descobrimos como o Ministério dos Direitos Humanos não tem executado o orçamento a que tem direito para ações pró-LGBTQIA+. Incluímos perguntas relacionadas aos direitos LGBTQIA+ nas sabatinas de autoridades, como ministros do Supremo, por exemplo. E recorremos ao Judiciário sempre que testemunhamos homofobia, transfobia e casos de autoridades desrespeitando aquelas decisões judiciais que garantem os nossos direitos."

TER LGBTQIA+ EM POSTOS COMO O SEU É IMPORTANTE PARA OCUPAR ESPAÇO, LUTAR POR DIREITOS E TER REPRESENTATIVIDADE. O SENHOR NÃO É UM PARLAMENTAR DE PAUTA ÚNICA. COMO FAZ ESSE EQUILÍBRIO?

"A minha pauta é a luta contra as desigualdades. As desigualdades que prejudicam pobres, mulheres, pessoas negras, indígenas, pessoas com deficiência e, sim, LGBTQIA+. A minha pauta é a luta contra a violência urbana, contra a corrupção e contra a destruição do meio ambiente, todos fenômenos que prejudicam de forma desproporcional justamente essas populações marginalizadas. Essas maiorias que foram minorizadas por uma sociedade que ainda é machista, racista e LGBTfóbica.

"O Brasil é um dos países que mais discriminam e matam gays, lésbicas, transexuais e travestis. É um país onde ainda não temos garantidos os direitos de viver, de ser e de amar livremente. Por isso, precisamos nos posicionar a todo momento em defesa dos direitos da comunidade LGBTQIA+ e nunca me furtarei disso."

JÁ PASSOU POR ALGUM TIPO DE PRECONCEITO DENTRO DO CONGRESSO? TEM ALGUMA HISTÓRIA QUE PUDESSE DIVIDIR COMIGO DE COMO É SER UM PARLAMENTAR GAY?

"O preconceito é estrutural e institucional na sociedade brasileira. Não sofri nenhum episódio de preconceito explícito no Congresso, mas isso não quer dizer que não exista homofobia no Congresso. Pelo contrário, sabemos que ela se manifesta das mais variadas formas.

"O que posso relatar é um episódio que nos ocorreu logo depois que adotei meu filho: buscamos reconhecer a dupla paternidade, com a inclusão do nome do meu marido na certidão de nascimento do Gabriel. Um promotor do Espírito Santo recorreu contra a decisão que reconhecia a dupla paternidade, usando argumentos homofóbicos e em desacordo com a jurisprudência da Suprema Corte. O recurso foi, felizmente, rejeitado pelo Tribunal de Justiça do Espírito Santo, e entrei com uma representação contra esse promotor no Conselho Nacional do Ministério Público, resultando em uma suspensão.

"Se eu, como senador da República, homem, branco, sofro preconceito, é até difícil de imaginar o que passam as pessoas transexuais e as travestis, os homens gays negros e pobres, enfim, todo um conjunto de pessoas que não tiveram nem têm os meus privilégios e proteções institucionais. É por eles que temos que lutar."

QUAL É SEU PRINCIPAL PAPEL COMO UM HOMEM GAY, PAI, SENADOR E CIDADÃO?

"Eu gosto de dizer que estou como senador. Eu não sou senador. Estou nessa posição graças aos capixabas – mais de um milhão deles – que confiaram o voto em mim. E tenho como missão, nesses oito anos de mandato, trazer para o Congresso Nacional as vozes de todos e todas que precisam, que sofrem discriminação e que passam necessidade. Quero representá-los com coragem e determinação. Se fizer isso e, assim, dar orgulho aos meus filhos, acho que terei cumprido meu papel."

A VEREADORA

Nos últimos anos, meu olhar se voltou para uma mulher trans negra que despontava na política de São Paulo, Erika Hilton. Eu a conheci melhor em uma *live* com o Maurício Arruda e a Alexandra Gurgel. Ela diz que a sua própria história é dolorosa, marcada por inúmeras exclusões. Por mais que tenha crescido em um lar onde sempre foi muita amada e cercada por mulheres, todas empregadas domésticas. Foi em meio às tias, primas, mãe e avó que ela cresceu menina.

Érika conta que não teve um processo de transição como a maioria das pessoas trans. Porque sempre foi menina. Na *live*, ela contou: "Sempre fui uma menina. Fui educada como menina, cresci entre meninas. Ninguém nunca me disse: 'Fala deste jeito, segue este caminho, você não pode brincar disso, não pode ser aquilo'. Eu vivia de salto alto, toalha na cabeça, dizendo que era a Paola Bracho da novela da *A usurpadora*. Tive uma infância muito privilegiada porque nunca me faltou nada, muito menos afeto e carinho".

Érika lembra que tudo começou a mudar quando tinha uns 10, 11 anos de idade. "O fundamentalismo religioso entrou na minha família. As minhas tias se converteram a uma igreja, as demais pessoas também foram se convertendo.

E naquele momento eu estava saindo da infância para entrar na pré-adolescência. Aqueles trejeitos, aquelas brincadeiras, dizer que era Paola Bracho começaram a pesar. Com 14, 15 anos, fui expulsa de casa. Chegou o ponto em que a convivência ficou insustentável. A minha mãe foi levada a acreditar que eu era um demônio, que existiam coisas erradas e abomináveis comigo. E eu fui literalmente expulsa de casa.

"Fui para a rua viver da prostituição e passei a minha adolescência inteira assim: nas esquinas e morando em casas de cafetinas. Mas foi um período curto porque minha mãe logo se deu conta da gravidade e da violência daquilo que ela estava fazendo. E retomamos o relacionamento. Só que para eu retomar por completo a relação foi preciso sarar as cicatrizes. Foi um processo muito violento. Esse processo de você estar começando a vida e ser expulsa da sua casa, que é o único referencial de amor de cuidado e socialização que você tem, e precisar ir para rua, se prostituir muito cedo, é um contexto muito violento."

A reaproximação com a família e com as duas irmãs levou um tempo. Mas Érika prefere não falar em reconstrução, define como um rompimento temporário.

"Eu não precisei reconstruir nada com a minha mãe, porque toda a nossa construção estava ali desde sempre. O que acontece é que essa relação foi interrompida por um discurso fundamentalista. Por um ódio que não fazia sentido. E quando ela disse: 'O que está acontecendo aqui? O que eu estou fazendo? Eu não posso fazer isso com a minha filha, não é justo, não é aceitável', a gente voltou ao amor, ao cuidado, ao afeto, à educação, ao carinho. Tudo que ela me ofereceu. E inclusive eu só sou quem eu sou graças à minha mãe. E quando volto para a casa da minha mãe é quando eu posso voltar para a escola. E aí eu vou para a universidade. Eu pude ser quem eu era a minha infância inteira, pude existir. Na adolescência, as coisas ficaram um pouco diferentes. Mas depois vou retomar com todo o amor, o cuidado, com todas as coisas que estavam ali e que só foram interrompidas por conta de um discurso de ódio. Por isso esses discursos de ódio são tão problemáticos."

Em 2020, Erika Hilton foi a vereadora mais votada e tornou-se a primeira mulher trans vereadora eleita da cidade de São Paulo, com mais de 50 mil votos. Ela é ativista dos Direitos Humanos, na luta por equidade para a população negra, no combate à discriminação contra a comunidade LGBTQIA+ e pela valorização das iniciativas culturais jovens e periféricas. Pedi para Erika responder a três perguntas minhas. A seguir, a íntegra da conversa.

COMO É SER UMA MULHER TRANS E NEGRA NA CÂMARA DE VEREADORES DA MAIOR CIDADE DO BRASIL?

"É maravilhoso ser uma mulher trans negra dentro da Câmara Municipal de São Paulo. Porque isso representa uma reintegração dos espaços de poder. Isso representa a construção de magnéticos possíveis para a nossa população, de nos vermos e nos enxergarmos em lugares que nos foram negados, que nos foram roubados, que nos foram impedidos de chegar até lá por conta de toda uma estrutura social política econômica. É gigantesco porque é nos colocar em um lugar onde deveríamos sempre estar e em que não estávamos porque fomos usurpadas desse espaço.

"E também é desafiador porque ser a primeira, estar em um processo de formação da história, traz muitos desafios. O desafio do conservadorismo. E uma ideia de que nós não deveríamos estar naquele espaço, porque a cisheteronormatividade, a branquitude acha e acredita que aquele lugar é um lugar legítimo de ser ocupado apenas por aqueles corpos. O meu corpo deveria estar limpando, cuidando dos filhos ou nas esquinas de prostituição, e não formulando e pensando políticas públicas. Também tem este lado do preconceito, da discriminação, da não normalidade, que ainda não é natural e normal. Por isso é tão importante a nossa ocupação nesses lugares. É um paradoxo, mas eu sempre fico com o lado positivo pelo valor material, simbólico que tem minha presença, minha estada, o meu corpo naquele lugar e o quão transformador pode ser não só às mulheres negras e às mulheres transexuais, mas a toda a sociedade. Porque o nosso projeto político é transexecional, abrangente. E o nosso avançar traz benefícios a toda a sociedade que vai combater a discriminação, as desigualdades, as injustiças, a violência, a falta de representatividade."

VOCÊ AINDA SOFRE PRECONCEITO DE OUTROS POLÍTICOS, DOS SEUS COLEGAS?

"Diante de tudo que eu já enfrentei na vida e dos preconceitos absurdos que vivi, hoje acho que até dentro da câmara consegui chegar, me colocando, impondo um certo respeito, e não vejo tanto desse preconceito. Mas existem coisas que são estruturais. O racismo, por exemplo, é muito recorrente no plenário da câmara municipal. A gente tem falas racistas, formas escancaradas de racismo, o racismo velado. O racismo se coloca presente o tempo todo. A transfobia também aparece. Costumo dizer que a transfobia é a irmã siamesa do racismo. Partem do mesmo lugar, têm os mesmos princípios, mas não vêm diretamente a mim. A transfobia vem de uma forma mais genérica, mas com a intenção clara de me atingir. Quando se tem uma atitude racista, se quer atingir as pessoas negras que estão naquele espaço. O mesmo acontece com uma atitude transfóbica, mas ela é direcionada à Erika Hilton. Um dos maiores desafios é fazer com que todos compreendam e aceitem que eu tenho legitimidade para ocupar aquele espaço. De que eu tenho um projeto político forte, um projeto político coerente, qualificado. E que irei apresentá-lo e, a partir dele, formular políticas públicas. Porque eles me subestimam demais exatamente por eu ser este corpo."

POR QUE É IMPORTANTE TER MULHERES E/OU HOMENS TRANS OCUPANDO ESPAÇOS POLÍTICOS?

"É a oportunidade de reparar a história. É a oportunidade de trazer para a centralidade do debate político, para o debate social, as vivências, as necessidades e as faltas destes movimentos que eu chamo de 'transvestisgeneres'. Essa palavra foi cunhada por mim e por Indianarae Siqueira. Pretendo abraçar homens trans, mulheres trans, travestis, pessoas não binárias, todo mundo que não seja cisgênero e consegue estar neste guarda-chuva. E ter essas pessoas *transvestigeneres*, ter uma política através dessa perspectiva. Quero colocar no debate público a transdignidade humana porque ela repara as mazelas sociais e estruturais que foram construídas para essas comunidades. Ela cria oportunidades para essas pessoas se enxergarem em lugares que não foram pensados para elas, e para sair do anonimato, das sombras da sociedade. Oportunidades de ocupar lugares que também são nossos por direito, mas a que nós não chegamos porque somos expulsos de nossas casas, porque não conseguimos terminar nossa escolaridade, porque não temos emprego, porque precisamos fazer das tripas coração para existir. E aí realmente é muito difícil conseguir chegar a um cargo público, conseguir chegar a uma graduação, a espaços que parecem tão distantes para nós. Estar neste lugar é garantir que esse caminho seja encurtado. E é também criar esse caminho para que as pessoas digam: 'Eu posso estar ali. Eu posso ocupar ali. Aquele lugar também é meu por direito e eu vou batalhar contra um sistema que odeia e combate o meu corpo para que eu possa ocupar aquele espaço'."

CAPÍTULO 8
QUEM ABRIU A PORTA?

Já falei aqui sobre alguns estudos que apontam que entre 3% e 4% da população mundial são gays. Hoje, vivendo no Rio de Janeiro, olho ao meu redor e parece que esse número é muito maior. Evidentemente, na minha bolha. Por ser gay, tenho vários amigos gays e parte do meu universo é cercado por conversas, encontros com o mundo gay. Mas quando eu olho para o mercado de trabalho ainda me faltam referências. Existem muitos jornalistas gays, aposto que bem mais do que você imagina. Mas me falta referência na posição que ocupo hoje, apresentador de um jornal que discute durante duas horas diárias política e economia. Sempre fui apaixonado por televisão. Desde os 10 anos, sei os horários dos jornais, os nomes dos repórteres e apresentadores. A falta de uma referência me perturba porque estamos em 2021, e poucos jornalistas homens e mulheres falam abertamente da própria sexualidade na televisão.

Sim, lá vou eu te pedir para fazer um exercício mental mais uma vez. Você se lembra de algum jornalista gay, que já falou isso na televisão, no rádio, no jornal impresso, na internet? Aposto que se lembrou de poucos. Não que eu seja um pioneiro, desbravador pleno e absoluto. É claro que muitos vieram abrindo portas para que eu chegasse até aqui. Inúmeros atores, cantores, jornalistas fizeram isso na TV e na vida privada. Foram eles que pavimentaram a estrada que percorro hoje. Mas cheguei a um ponto em que eu haveria de pavimentar. Cheguei a um trecho onde estava tudo pronto para o asfalto ser colocado, mas faltava o asfalto. Claro que você já ouviu o meu amigo e parceiro de *Em Pauta*, Guga Chacra, falar sobre a esposa dele. Assim como a Eliane Cantanhêde falar do marido e das filhas. E já ouviu inúmeras vezes tantos outros jornalistas homens e mulheres héteros falarem também. Por acaso, quando você os ouviu falar da própria família, ficou espantando? Você pensou: "Nossa, o homem falou na TV que tem uma esposa. Ela falou na TV, sem o mínimo constrangimento, que tem um marido."

NÃO, NÉ?

É disso que quero falar. Por que meus colegas de trabalho podem dizer "meu marido" e "minha esposa", mas eu não posso? Eu lido com credibilidade, com verdade, com responsabilidade diariamente, há mais de vinte anos, exercendo o jornalismo profissional e sério em que acredito. Então, eu estaria omitindo, mentindo, sendo falso e até irresponsável ao não falar que "sim, tenho um namorado!". Foi isso que eu disse em fevereiro de 2021, durante uma entrevista com a doutora Margareth Dalcolmo, da Fiocruz: *"Acho que a gente nem pode imaginar... Na verdade, eu vou ser sincero com quem está nos assistindo. Porque meu namorado é médico e ele trabalha em uma UTI onde as pessoas com Covid-19 são recebidas. E eu recebo esses relatos e vejo o quanto é difícil"*. Dentro de poucos minutos, minha fala foi citada no Twitter, Instagram, várias reportagens em sites.

Pouco tempo depois, também ao vivo, durante a notícia da morte precoce do ator Paulo Gustavo, mais uma vez fui sincero e verdadeiro com quem me assiste e disse: *"Eu o agradeço por aquele filme de 2013, em que ele conta pra mãe que é gay. Lembro da minha mãe contando que assistiu o filme e achava graça. Naquela época, eu não tinha me assumido pra minha família. Eu pensava o seguinte:* se minha mãe, vendo uma mãe aceitar um filho gay na TV, riu, ela vai me acolher quando eu contar. *E quando contei para a minha mãe, ela falou o que o Paulo Gustavo havia dito no programa da Ana Maria Braga sobre a reação da mãe dele: 'A gente tem medo que você sofra na rua, mas aqui dentro de casa, a gente vai segurar as pontas'. Como esse cara mexeu com a vida da gente e me ajudou"*. Com o país em choque, chorando a morte de Paulo Gustavo, essa segunda fala ganhou uma repercussão ainda maior.

Redes sociais, reportagens em sites, revistas, programas de TV. Repito: existem muitos jornalistas gays, mas não me lembro de um que tenha falado – em um jornal em rede nacional – que é gay.

Algumas semanas depois, no dia mundial do orgulho LGBTQIA+, claro, debatemos o assunto no *Em Pauta* e eu não poderia me omitir. Camila Tonin, editora-chefe do *Em Pauta*, a quem eu devo muito desde que comecei a apresentar o programa, me disse: "Coloquei um minuto no jornal para você falar o que quiser, fique à vontade". Então falei, no *Em Pauta*, ao vivo: *"Você que me assiste, há pouco tempo me viu falando aqui no* Em Pauta: *eu tenho um namorado. Que o ator Paulo Gustavo me ajudou quando retratou no cinema um filho gay sendo aceito pela família. Entender que sou gay, que nasci assim, contar para minha família, amigos, falar isso na TV, não foi fácil. Cada um sabe de suas dores, sofrimentos. Hoje eu faço isso novamente não apenas por mim, mas também pelos LGBTQIA+ que ainda sofrem. Sofrem exclusão, violência em casa, na rua, no trabalho, são atacados nas redes sociais. Sim, sou gay, e um gay com privilégios. Sou um homem branco, tenho uma família que me acolhe, construí uma carreira – que entendo ser de sucesso –, tenho um trabalho que me respeita e me dá essa segurança. A segurança de ser quem eu sou, de falar que sou gay em um programa de política, ao vivo. Este dia do orgulho continuará sendo necessário até que os diretos sejam iguais, que a violência acabe, que o preconceito se desfaça. Até o dia em que ser gay, lésbica, transexual ou seja lá qual for sua orientação sexual ou orientação de gênero, até o dia em que isso não faça diferença. Afinal, somos todos seres humanos e queremos respeito!".*

    A falta de referência também me instigou a escrever este livro. Recebo inúmeras mensagens diariamente nas redes sociais. LGBTQIA+, mães, pais, héteros, todos me apoiando. Falando o quanto foi importante para eles ouvirem isso na TV, pedindo conselhos, dizendo que precisam ter a mesma coragem. E sabe por que eu tive essa coragem? Porque trabalho em uma empresa que me respeita, me aceita e me acolhe. Desde que cheguei no Grupo Globo, em 2010, percebi um ambiente plural e respeitoso para com a comunidade LGBTQIA+. Mesmo antes de me declarar, convivia diariamente com colegas gays, lésbicas, bis, trans. E os colegas héteros não acham espaço, pelo menos não na frente dos LGBTQIA+, para serem preconceituosos. Eu, e especialmente eles, sabemos que qualquer atitude preconceituosa pode ser denunciada em um canal da empresa. Qualquer um pode fazer uma denúncia expondo que foi alvo de preconceito, de racismo. Em mais de dez anos na Globo, nunca passou pela minha cabeça usar esse mecanismo porque sempre fui respeitado. Esse respeito é tão latente que nas três vezes em que me posicionei, em um intervalo de cinco meses, sobre minha sexualidade ao vivo, durante o *Em Pauta*, não houve qualquer reação preconceituosa dos meus colegas. E digo isso em relação aos meus colegas jornalistas e aos da parte técnica. O que recebi foi apoio, incentivo, acolhimento. Isso me mostra que dentro da Globo posso ser quem eu realmente sou. Então, me sinto seguro para ser quem eu verdadeiramente sou também na frente de uma câmera e num jornal ao vivo.

Mas perceba o quanto andamos pouco. Em 2021, a maioria das pessoas que me assiste, entre elas os gays, ainda se surpreende com a minha fala, dizendo que sou homossexual na televisão. Mas ninguém se surpreendeu quando o William Bonner mencionou a esposa dele no *Jornal Nacional*.

A fala de um heterosseuxal não chama atenção de ninguém. Surpresa zero. Então por que se surpreender com a minha fala? Me posicionar foi importante e vai continuar sendo. Não vou ter uma pauta única, porque já disse que ser gay faz parte de mim, mas tenho inúmeras outras partes que me compõem. Tenha certeza de que, vez e outra, vou voltar a falar ao vivo, na TV, que sou gay. Porque sei que isso ainda será necessário e vai ajudar muita gente.

"Quando você se posicionou na TV, provocou automaticamente uma desmistificação", me disse o psicólogo Angelo Brandelli. *"É um jornalista que está fazendo o seu trabalho, que fala sobre sua identidade. Isso é importante para a representatividade de uma série de pessoas, que veem você como modelo. Por outro lado, desfaz crenças que algumas pessoas teriam como: 'Será que ele seria um bom jornalista? Será que ele pode ocupar este lugar?'. Ter contato com alguém abertamente gay na TV, o que para muitos poderia ser impensável até pouco tempo, é importantíssimo para naturalizar. O fato de você estar*

presente cotidianamente na vida de milhares de telespectadores colabora muito para acabar com o preconceito."

O psiquiatra Jairo Bouer acrescenta: *"A gente se vê, se enxerga, se sente representada, percebe que existem caminhos. O fato de você ser homo, bi, trans ou qualquer que seja sua identidade ou a sua orientação não te faz pior ou melhor que ninguém. Você pode ser um jornalista de sucesso, um político de sucesso, um advogado, um professor. Essa visibilidade ajuda muito. O preconceito é um quebra-cabeça de estruturas, cheio de peças, todo intricado. Cada vez que uma peça dessas é mexida, removida, acontece um avanço".*

Nos Estados Unidos, o jornalista da CNN, Anderson Cooper precisou emitir um comunicado oficial para assumir sua sexualidade: *"O fato é: sou gay, sempre fui e sempre serei e não poderia estar mais feliz, confortável comigo mesmo e orgulhoso".*

Anderson tem quase vinte prêmios Emmy. É um dos mais respeitados âncoras da TV americana. Uma pessoa de família rica, inteligente e que se privou por décadas. Mesmo assim, quando decidiu contar, tomou o cuidado de planejar por meses, para que a notícia não causasse o que ele chamou de "suicídio profissional". Traduzindo para a linguagem atual: medo de ser cancelado. Mas o cancelamento não aconteceu, Anderson continua sendo um dos maiores nomes do jornalismo americano. E se tornou a primeira pessoa LGBTQIA+ declarada a moderar um debate entre os candidatos à presidência dos Estados Unidos.

A MINHA VIDA NÃO ESTÁ NAS MÃOS DE NINGUÉM

Durante os dez anos em que trabalhei como repórter em Brasília, fiz muitas entradas ao vivo para o jornal apresentado pela Leilane Neubarth. Algumas vezes, em viagens ao Rio de Janeiro, esbarrava com ela no corredor, no camarim, e o convívio foi aumentando. Quando mudei para o Rio definitivamente, para minha felicidade, quem me recebeu de braços e portas abertas foi a Leilane. E digo braços porque me acolheu nos corredores e portas abertas porque me convida para ir até sua casa, conviver com seus amigos e amigas. O jornalismo me deu essa amiga. A diva dos olhos azuis, cabelo ruivo e voz inconfundível do telejornalismo hoje é minha amiga. Convivemos, nossos amores se conhecem. Todos sabem que Leilane tem dois filhos, foi casada com homens e hoje namora uma mulher. Não poderia deixá-la de fora deste livro. Aqui seguem as respostas da "Lei". É assim que nós, amigos, a chamamos.

POR QUE VOCÊ NUNCA FALOU SOBRE SUA SEXUALIDADE NA TV? NÃO TEVE VONTADE, NECESSIDADE?

"Eu falei sobre a minha sexualidade em um especial que a Globosat produziu para o GNT sobre esse assunto. O tema era sexualidade, fui convidada e aceitei com o maior prazer. No dia a dia do jornalismo, nunca falei sobre esse assunto porque não surgiu a oportunidade.

É um tema que merece ser abordado com leveza, naturalidade, e não levantando bandeira. Principalmente porque fui casada duas vezes com homens. Com o meu segundo marido, fui casada vinte e dois anos e nunca falei dele na televisão. Então, como eu nunca falei do meu então marido, acho que não faz sentido ficar falando dos meus relacionamentos gratuitamente. Mas, se um dia surgir a oportunidade, não vejo problema algum em falar."

ACHA NECESSÁRIO FALAR?

"Para quem me segue nas redes sociais, especialmente no Instagram, isso está claro nas minhas postagens. Há doze anos eu me relaciono com mulheres e não tenho nenhum problema com isso. Acho apenas que precisa surgir uma oportunidade para que isso seja falado de uma forma natural. A minha vida pessoal não interessa aos telespectadores. Não falo só sobre a minha sexualidade. Eu não falo sobre meus filhos, sobre meu neto. O assunto está muito latente hoje em dia. Mas eu não vou falar porque é 'moda'. Vou falar se surgir uma oportunidade. Não vejo necessidade de falar. Mas não vejo nenhum problema em abordar esse tema."

COMO É SER UMA MULHER, LÉSBICA OU BI, NA TELEVISÃO?

"Não gosto dessa coisa de 'caixinha'. Há uma tentativa e uma necessidade muito grande das pessoas de colocar a gente nas caixinhas. Mas se eu tivesse que entrar em uma caixinha, seria a da bissexualidade. Porque fui casada duas vezes com homens e era muito feliz. Às vezes, as pessoas me perguntam: 'Você era homossexual e vivia infeliz?'. Não! Eu vivia muito feliz. Eu tinha muito tesão, eu tinha atração e era muito feliz nos meus relacionamentos. Quando meus dois casamentos acabaram, não teve nada a ver com sexualidade. Acabaram porque se desgastaram. E curiosamente eu descobri uma coisa que eu não conhecia. Eu descobri que tinha atração, desejo e capacidade de amar uma mulher. E isso me encheu de prazer e de alegria. Isso mostra que a minha capacidade de amar é infinita. O meu desejo existe e não vou negá-lo. Nos dois primeiros anos, eu até fiquei mais na minha porque queria entender. Queria ver se era apenas um desejo passageiro e se eu iria voltar a me relacionar com homens. Ou se eu iria me manter me relacionando com mulheres. Mas estou casada com uma mulher há dez anos.

"Decidi então que iria viver esse amor sem que fosse uma coisa escondida. As primeiras pessoas que souberam da minha decisão foram os meus filhos. No começo, eles até estranharam. Mas simplesmente perguntaram: 'Mãe, é isso mesmo que você quer?'. Quando eles me viram feliz, quando perceberam que eu estava muito feliz, imediatamente me apoiaram. Meus filhos me amam. Aceitam de maneira integral o que eu decidi para minha vida, o que eu decido hoje para a minha vida. E amam as mulheres com quem eu me relacionei e me relaciono, assim como amam os homens com quem eu me relacionei. Graças a Deus essa questão do amor na minha casa é muito tranquila. Cheguei a ser alertada uns dez anos atrás quando a minha sexualidade veio a público: 'Você vai assumir? Vai tornar isso público? Mas... e a direção da empresa e o seu público, o que vão achar?'. Não tive nenhuma dúvida de que não teria um relacionamento escondido. Eu teria um relacionamento *meu*. Era a minha decisão, era a minha vida. E a minha vida não está nas mãos de ninguém. Nem da empresa para a qual eu trabalho e que respeito muito, onde sempre fui muito respeitada, nem das pessoas que me assistem.

"Quem eu amo? Que desejo tenho? Isso não pode ser definido pelas pessoas que me contratam ou pelas pessoas que me assistem. Esse desejo e esse amor só podem ser definidos por mim e pelas pessoas com quem eu me relaciono. Então, com todo o respeito a todo mundo, eu sinto muito, mas essa é uma decisão minha. Exclusivamente minha. E é assim que eu pretendo seguir. Para mim, amor é amor, desejo é desejo e isso só interessa às pessoas envolvidas nesse relacionamento. Como eu tenho dois filhos, é claro que a minha vida também interessa a eles. Então a minha grande e única preocupação sempre foi eles. E, em relação a isso, posso ficar absolutamente tranquila. Tenho uma alegria enorme de dizer que eles me amam independentemente do que eu faça. E isso é muito bom!"

CAPÍTULO 9

A PRIMEIRA VEZ QUE OUVI UM TRANS

Com mais de 40 anos, por tudo que contei até aqui neste livro, você pode pensar como até pouco tempo atrás eu penava. "Marcelo é um cara bem-informado em relação à comunidade LGBTQIA+." Para minha sorte nunca me vi assim e tive que pesquisar e ouvir muito sobre o assunto para escrever este livro. Foram dois meses ocupando todas as minhas horas vagas (e fins de semana) e mergulhado neste projeto. Mas nada me chamou tanto a atenção quanto pedir para um homem trans me contar sobre ele. Pensei que ouviria mais um relato entre os tantos pesados e sofridos que ouvi. Mas esse foi além: me tocou a alma. O depoimento veio por mensagem de voz. E, nas inúmeras vezes em que ouvi, para entender e transcrever cada palavra, tive vontade de chorar, abraçar, acolher. Eu gay, branco, fico extremamente incomodado e me manifesto quando sofro preconceito. No entanto, ando por aí dono de mim, seguro, sem receber e/ou perceber olhares de julgamento. Mas ouvir que uma pessoa trans não tem essa tranquilidade, essa segurança me deixou em alerta, assustado, triste. Ouvi que esse homem trans só se sente complemente seguro dentro da própria casa. Que só pode ser ele genuinamente a portas fechadas. Descobri que o seu momento de maior felicidade dos últimos anos foi ouvir, mesmo que de forma velada, a mãe chamá-lo pelo nome que ele escolheu para si. Ouvi que corpos trans são marginalizados. Que para se ter o mínimo de respeito, você precisa se esconder, se silenciar. E que nem mesmo usar o banheiro é um ato corriqueiro. Usar um banheiro coletivo para uma pessoa trans é um ato de coragem.

Inicialmente essa entrevista faria parte do livro como um exemplo, uma história que me ajudaria a mostrar como é a vida de uma pessoa trans. Mas as respostas me tocaram tanto que resolvi apenas transcrevê-las. O que você vai ler é uma transcrição fiel. Como o combinado, só não reproduzi nomes.

HOMEM TRANS, 24 ANOS!

"Eu não gosto de caracterizar as coisas. Tem o termo guarda-chuva, não binário, e dentro disso me identifico como uma pessoa sem gênero. Desde muito novo, nunca fez sentido para mim essa ideia binária de homem e mulher. Isso existia enquanto papéis sociais. Mas, na época, não tinha muito impacto na minha vida porque eu era uma criança e não pensava e nem questionava isso. Não existia uma cobrança de uma performance masculina ou feminina enquanto criança. Sempre brinquei com todo mundo, com qualquer brinquedo. Essa questão não existia para mim. Quando comecei a entrar na adolescência é que o assunto começou a me afetar. É quando vem aquela questão: 'Você vai se transformar em um homem ou em uma mulher?'. Eu não queria ser uma mulher, mas também não queria ser um homem. Aquilo em que antes eu não pensava sobre, passou a ser uma questão. Começou a existir uma cobrança interna, familiar e do mundo. A sociedade exige que você se encaixe em alguma caixinha. Você nasce de tal forma, você vai fazer tal coisa e seguir assim.

"Essa época foi bem difícil porque eu não me encaixava em nada disso e eu não tinha nenhum referencial. Eu nem sabia direito o que era trans. Se for comparar as informações que a gente tem hoje na mídia com quando eu tinha 12 anos de idade, a diferença é absurda. Eu cresci com essa sensação de não pertencimento. De não lugar. Porque não tinha referências e as poucas referências que eu tinha eram neste lugar extremamente binário.

"Quando eu olhava na TV, a graça era colocar um homem vestido de mulher para todos rirem. Era sempre no lugar do cômico. Nos filmes era no lugar do vilão, no lugar do problema, no lugar do errado. Então você cresce assistindo isso e é muito difícil. Nesse período da adolescência, eu não sabia o que estava acontecendo. Não sabia onde buscar ajuda e apoio para entender o que estava acontecendo. Comecei muito cedo na terapia porque não conseguia socializar com as pessoas.

"A questão da transição... Não gosto desta palavra porque ela parte de uma noção de que você está num estado e quer alcançar outro. E comigo foi tudo muito orgânico. Não vejo como mudei, virei algo. Não me vejo dessa forma. Foi algo que, aos poucos, consegui colocar para fora. Não lembro quantos anos tinha exatamente quando comecei a procurar e ver informação na internet, conhecer outras pessoas, ouvir outros relatos e outras experiências. Fui entendendo que existiam outras possibilidades para mim. Não precisava estar daquela forma e me sentir daquela forma.

"Não saía muito de casa, fui um adolescente na minha. Às vezes ia a algum show, à casa de um amigo. Mas não me sentia confortável, e os poucos espaços em que eu me sentia bem era com pessoas mais velhas, e meus pais ficavam preocupados. Na escola, eu não usava o nome que uso hoje. Na época, eu não socializava, tinha alguns amigos mais próximos, mas eram poucos mesmo, não interagia.

"Com a minha família, nessa época, eles me viam como gay. Eu namorava uma menina, então era neste lugar que eles me viam. E isso foi um processo muito longo. Minha mãe pensava... "Ah, meu Deus!", por eu namorar a pessoa que namorava na época. No começo foi forte, mas depois foi ficando mais leve. Não tinha o que fazer. Em nenhum momento eles foram agressivos comigo, nada disso. Era mesmo por não terem informação. E não saber como lidar com a situação.

"O fato de eu começar a usar outro nome, a me apresentar de outra forma, aconteceu quando eu tinha 18, 19 anos. Foi quando eu saí de casa. Fui morar com a pessoa que eu estava namorando e foi com essa pessoa que tive abertura para falar. Ele tinha outros amigos que estavam passando pelo mesmo processo. E aí eu conheci mais pessoas. Pessoalmente, conversando, trocando ideia. E ele me encorajou muito a me experimentar, a observar se eu me sentia confortável tendo um outro nome, me apresentando de uma outra forma. Eu não contei para os meus pais, eles ficaram sabendo. Eu já usava outro nome em redes sociais, mas eles nunca questionaram nada. Mas uma vez, eu viajei e deixei algumas coisas na casa da minha mãe... Tinha um papel em que eu vinha anotando várias coisas desse período, dessa época. E atrás desse papel tinha um número de um núcleo de apoio, de terapia. Minha mãe achou esse papel e lá estava escrito 'Núcleo de apoio à transição'. Foi quando eles marcaram um almoço para conversar comigo. Minha mãe perguntou: 'O que é isso aqui atrás deste papel?'. E eu pensei: *Nãooooo!*

"Eu ainda estava entendendo as coisas e não queria falar a respeito. Foi assim que eles ficaram sabendo. A partir daí, foi um processo muito lento... Aos poucos foram entendendo. Mas a minha relação com eles é tranquila. É um privilégio absurdo e imensurável o fato de eu ainda falar com a minha família. A maioria das pessoas trans que eu conheço não tem contato com a família. Ter a minha família comigo, me apoiando, é o privilégio do privilégio.

"Há um ano, uma tia minha, que eu nunca considerei como tia, me procurou. Quando eu era adolescente, foi a pessoa que mais me empurrou para a feminilidade. Eu não gostava dessas performances, e ela me empurrava de todas as formas. No meu aniversário, me dava maquiagem, vestido, roupas. Ela tinha uma loja de roupas e vivia me dando roupas, insistia muito. E essa tia pegou bem pesado comigo. Obviamente fez tudo de uma forma velada. Mas ela foi péssima comigo. E a gente nunca foi próximo, passamos anos sem nenhum contato. No ano passado, ela me mandou uma mensagem no Facebook dizendo: 'Boa noite, sobrinho amado, sinto muitas saudades suas e gostaria de acompanhar a sua aceitação, titia te ama'.

"Fiquei muito irritado porque, fazendo uma análise da situação, nós não tínhamos o menor contato e ela foi extremamente problemática para mim naquela época. Ela se achar no direto de vir falar comigo... sobre uma questão minha, em nenhum momento ela fez parte disso, de forma construtiva. Ela sequer perguntou se eu estava bem, como eu estava, se queria falar sobre isso, se eu queria apoio ou qualquer outra coisa. Ela presumiu muitas coisas. Achei um absurdo, me senti completamente invadido. Ela achou que estava tudo bem, e tudo bem! Isso me deixou com muita raiva e me mostra mais uma vez o hábito de colocar o corpo trans no lugar do exótico. Em compensação, lembro o dia em que minha mãe me chamou pela primeira vez pelo meu nome. Ela não sabe que eu sei. Ela tinha muita dificuldade, não me chamava pelo nome, não verbalizava isso. Um dia eu estava dormindo na casa dela, ela veio me acordar, e eu estava despertando, naquele estado meio dormindo, meio desperto. Ela falou muito baixinho: 'Fulano'. Nossa, eu tive que me controlar para ela não perceber que eu tinha ouvido. Foi um dos momentos mais felizes perceber que ela estava tentando, se esforçando, mesmo que escondido.

"No meu trabalho, é como em boa parte dos lugares que eu frequento. As pessoas sempre vão olhar, você percebe quando a pessoa está olhando daquele jeito... Gênero é linguagem, são signos. Sei que quando eu chego em um ambiente, não estou correspondendo àquilo que as pessoas estão esperando. Algumas me veem como um cara, outras ficam na dúvida. Isso é muito individual. No processo de contratação do meu último emprego, as entrevistas foram por videochamada e em nenhum momento eu falei nada. Não costumo falar sobre isso. Não escondo, só não falo. Mas a última entrevista foi feita pessoalmente. O único momento em que eu mencionei o fato de ser trans foi quando entreguei a documentação e o histórico escolar. Tudo estava com meu nome antigo. Mas foi supertranquilo.

"Não me sinto confortável em nenhum lugar que frequento. Não é pelo fato de eu ser trans. O problema é que existe uma estrutura que compõe o imaginário das pessoas e eu não correspondo a ela. Tem dias que são mais leves, tem dias que eu desligo, tem dias que fico muito puto, mas em geral só me acostumo. E com meus colegas, eu só fico perto de quem me respeita. Não permito nada que não seja pelo lugar do respeito. Onde eu trabalho hoje, nunca ninguém falou nada. O máximo que acontece é alguém errar um pronome e a própria pessoa percebe. Não gosto de corrigir a pessoa, deixo que ela perceba sozinha. E isso tem funcionado, assim evito conflito.

"Sendo bem sincero: não sei até que ponto as pessoas sabem. Percebo por alguns discursos que alguns acham apenas que sou muito novo. Não sei como seria se isso fosse completamente aberto. Desde que entrei neste trabalho, estamos na pandemia, então tem a máscara, os meus óculos, e as pessoas não conseguem ver muito do meu rosto.

"Em geral, evito usar banheiro na rua. Prefiro o individual, mas quando não tem, uso o masculino. Não é confortável usar um banheiro porque você nunca sabe o que pode acontecer. A partir do momento que estou fora da minha casa, corro risco. Vários riscos. Alguns espaços, especialmente os banheiros, podem ser violentos, de várias formas. Eu entro e não olho na cara de ninguém, faço o que tenho que fazer e saio. O que acontece é de as pessoas olharem. Tem dias em que eu estou bem e acho engraçado ver as pessoas confusas. Mas tem dias que isso é muito pesado. Gostaria que ninguém ficasse me olhando, que me deixasse viver em paz. Esses são os dias piores para mim.

"Quando falam de pessoas trans, o objeto da conversa é sempre ser trans. Não é questionado o mundo cis, não é questionado o mundo binário em que a gente vive, a estrutura de gênero que nos tem como um ser, separado, por exemplo, de questão de raça, de classe. E eu falo de um lugar de uma pessoa trans branca que teve o apoio da família. Sei que não tem como comparar a minha vivência com a da travesti que está andando com uma navalha embaixo da língua para se defender, lá na Lapa. É preciso questionar essa estrutura em que a gente vive e que afeta todo mundo."

Desde o início deste livro, tive vontade de entender alguns comportamentos que ajudam a comunidade LGBTQIA+. Pessoas que abraçam a causa, os aliados, como costumamos a chamar.

Uma dessas pessoas que sempre me chamou atenção é a cantora Ivete Sangalo. Para ter mais chances de conseguir algo da Ivete para este livro, encaminhei algumas perguntas por e-mail, que, para minha felicidade, foram respondidas.

Ah, não posso deixar de fora o inesquecível fato de ter conhecido meu noivo – sim, agora o *status* mudou, em 30 de julho de 2021 ficamos noivos e em breve tem casório – em um show de Ivete em São Paulo. Depois foi com ele que fui pela primeira vez ao Carnaval de Salvador – em 2020 – no chão, na chamada pipoca. Uma verdadeira multidão, boa parte LGBTQIA+, sendo feliz ao som de Ivete. O Carnaval é uma das poucas manifestações populares no Brasil ao ar livre, em que ninguém parece se importar com quem a outra pessoa está beijando. Parece que durante quatro dias ganhamos alforria.

A seguir, as respostas da Ivete Sangalo sobre sua relação com a comunidade LGBTQIA+.

VOCÊ SEMPRE FAZ QUESTÃO DE FALAR EM SHOWS E ENTREVISTAS SOBRE O RESPEITO À COMUNIDADE LGBTQIA+. QUANDO ISSO FOI DESPERTADO EM VOCÊ, O QUE TE MOTIVOU A TER ESSE OLHAR?

"O que motiva a ter esse olhar não é especificamente sobre esse ou aquele, é sobre o indivíduo. Sobre o respeito que eu tenho sobre mim mesma, sobre a minha existência. Eu respeito a minha existência, aquilo que gosto e quero. Os meus desejos são muito particulares. A origem do meu respeito parte da ideia de que eu também tenho que ser respeitada como indivíduo. A comunidade LGBTQIA+ sofre ainda uma série de sobrecargas de interpretações e preconceitos, é uma comunidade cerceada e isso é inadmissível. Então, isso tem que ser dito, entendido e compreendido. Não é um pedido, é uma condição. O respeito é uma condição."

EM VÁRIAS ENTREVISTAS VOCÊ FALA SOBRE EDUCAÇÃO DE SEUS FILHOS E COMO EDUCAR UM MENINO E DUAS MENINAS PARA QUE NÃO VEJAM PESSOAS LGBTQIA+ DE MANEIRA DIFERENTE. QUAL É A SUA PREOCUPAÇÃO DE MÃE?

"É o mesmo princípio. Você quer ser respeitado? Se você quer que se respeite o seu direito de sentir coisas, de viver coisas, de querer coisas, você precisa respeitar o outro para que isso seja um movimento uniforme. Todos se sentem respeitados, todos respeitarão. Isso é um ritmo muito natural. É aí que você quebra a estrutura daquele que acha que ele merece e o outro não merece, isso não existe."

TEM ALGUMA HISTÓRIA QUE TE MARCOU EM ALGUM SHOW OU NO CONVÍVIO COM PESSOAS LGBTQIA+?

"Isso é uma constante. Cada vez mais é necessário conversar sobre isso e debater, porque ainda que se fale muito, está entranhado, está na estrutura da sociedade. O que a gente imagina que fosse uma coisa subterrânea não é, está na superfície, as pessoas são afetadas por isso e afetam muitas outras. Então, eu acho que essa discussão tem que ser vigente, não se pode parar de falar sobre isso, e mais uma vez não é uma coisa a se pedir, é uma condição para se viver dentro de uma sociedade justa, equilibrada; é que todos os direitos de cada cidadão sejam respeitados.

"Eu tenho no meu convívio pessoas muito especiais, pessoas pelas quais eu tenho um amor profundo, é um reconhecimento da pessoa na sua essência. E eu vejo isso no meu entorno, porque eu convivo com muitas pessoas que trabalham pra mim, profissionais que são necessários, não só na condição de profissionais, mas na condição de seres humanos. Mas eu vejo, eu vejo os olhares, os comportamentos, a maneira de preterir essas pessoas, isso é um grande absurdo, uma violência muito frequente no dia a dia, e o que pode parecer natural pra uns é destruidor pra outros."

COMO É SUA RELAÇÃO COM BUSCA DE INFORMAÇÕES SOBRE TEMAS CORRETOS PRA TRATAR A COMUNIDADE LGBTQIA+? VOCÊ SE INFORMA PRA NUNCA PISAR NA BOLA, FALAR ALGUMA PALAVRA QUE OFENDE OU QUE SOE PRECONCEITUOSA?

"Isso sim, sem dúvida nenhuma. Eu tenho a sorte de ter pessoas da comunidade que me trazem todo um aparato, porque nós temos uma penetração muito grande no dia a dia das pessoas através da música, através do entretenimento, e vozes muito poderosas. Esses esclarecimentos e essa postura geram o hábito. Se de fato nós temos o compromisso com isso pra transformar, é preciso se inteirar e estar atentos, porque não existe mais espaço para esse tipo de equívoco."

VOCÊ SEMPRE FALA DE AMOR. SE PUDER DEIXE UMA MENSAGEM SOBRE AMOR, SOBRE TODAS AS FORMAS, INCLUSIVE AMOR LGBTQIA+.

O amor é um sentimento bem-vindo, é o sentimento que mais transforma. O amor transforma tudo no nosso entorno, a gente precisa do amor. Não se pode classificar o amor para esta ou aquela pessoa, o amor é bem-vindo de todas as formas, de todas as maneiras, porque ele é amor. Então, que ele venha em cataratas, cachoeiras e venha de forma explosiva pra todos nós. Que todos nós possamos viver esse amor que é de direito.

CONCLUSÃO

"Sejam enquantos"

Talvez você seja... Quando você olhou para este livro e leu o título pela primeira vez, lá estavam o questionamento, a inquietude, o despertar que eu queria provocar.

Ao longo da leitura, se você se perguntou pelo menos uma vez "talvez eu seja?!", já valeu.

Talvez você seja o preconceituoso, que reconheceu seu preconceito velado ou disfarçado ou até "sem querer".

Talvez você seja o LGBTQIA+ que viu em algumas das histórias contadas aqui um pouco da sua história.

Talvez você seja alguém que nunca tinha parado para olhar pela visão de um LGBTQIA+.

Talvez você seja um pai ou uma mãe de um LGBTQIA+ que se reconheceu especialmente nas angústias, medos e riscos que este mundo impõe aos seus filhos e filhas.

Talvez você seja um aliado dos LGBTQIA+ que entendeu ainda mais que esta também é uma responsabilidade sua e que precisamos do seu apoio.

Talvez você seja um filho de um LGBTQIA+ que conseguiu compreender melhor o universo do pai, da mãe.

Talvez você seja um irmão, uma irmã, um cunhado, tio, sobrinha, um(a) amigo(a) que agora sabe como é estar na pele de um LGBTQIA+.

Talvez você seja alguém disposto a contribuir para que vivamos em um mundo mais tolerante, respeitoso, amoroso, livre e, por que não, mais feliz?!

Talvez você seja lá quem você for e seja lá por qual motivo chegou a este livro e a esta parte da leitura... Nossos "sejam" não bastam. O "seja" dá lugar ao "enquanto", porque temos uma longa estrada a percorrer e só chegaremos alguns passos à frente com todos os "sejam" juntos.

POR QUÊ?

Enquanto uma pessoa for espancada com uma lâmpada fluorescente na Avenida Paulista ou com um pedaço de madeira num beco de uma comunidade por ser quem é, enquanto isso acontecer, precisamos falar.

Enquanto uma travesti ou trans for desrespeitada, maltratada, humilhada, presa e morta por ser travesti, precisamos falar.

Enquanto oitenta pessoas transexuais forem mortas no Brasil a cada semestre como no primeiro de 2021, precisamos falar.

Enquanto o menino ou a menina forem espancados pelos pais, parentes, expulsos de casa, excluídos da família por serem LGBTQIA+; temos que falar.

Enquanto houver charlatões oferecendo a cura gay; temos que falar.

Enquanto a lésbica e o gay ouvirem "isso é coisa de homem e de mulher"; precisamos falar.

Enquanto meninos e meninas trans forem desrespeitados(as) na escola por não terem um banheiro onde se sentem seguros(as); enquanto forem chamados(as) por nomes e artigos com os quais não se identificam; enquanto forem alvo de piadas preconceituosas; precisamos falar.

Enquanto um homem ou uma mulher trans só se sentir seguro(a) dentro de casa e o simples ato de entrar em um banheiro coletivo for um risco; precisamos falar.

Enquanto mães e pais passarem uma vida com o coração na mão, preocupados se seus filhos e filhas vão voltar para casa seguros, se vão encontrar um emprego, se vão apenas ser respeitados por quem são, sim, precisamos falar.

Enquanto seu olhar for de julgamento para a roupa, para o jeito, para a fala, para o tom de voz, para o comportamento, para o desejo de um LGBTQIA+ sim, precisamos falar.

Enquanto houver a necessidade de termos um dia, um mês para reivindicarmos os direitos básicos de ser quem somos; precisamos falar.

Enquanto alguém se sentir incomodado por ter que usar um banheiro sem gênero, reclamar que está sendo atendido em uma hamburgueria por um viadinho; sim, precisamos falar.

Enquanto não tivermos diversidade e representatividade nas empresas, nas indústrias, nas câmaras de vereadores, no congresso, no Senado Federal, nas prefeituras, nos governos de estados e na união sim, precisamos falar.

Enquanto gays, lésbicas, bis, trans e todos da comunidade LGBTQIA+ não forem respeitados no ambiente de trabalho, na rua, na escola, em casa, na sociedade; sim, precisamos falar.

Enquanto o gay e a lésbica forem vítimas do machismo e do preconceito dentro da própria comunidade LGBTQIA+, vamos falar.

Enquanto uma vítima de homofobia ou transfobia encontrar resistência em uma delegacia para registrar uma ocorrência, for desrespeitada e maltratada pela polícia; precisamos falar.

Enquanto nos espantarmos com o cara da TV falando que é gay, com o governador falando que é gay, a governadora falando que é lésbica; precisamos falar, para naturalizar.

Enquanto polícia e justiça dificultarem o acesso às pessoas LGBTQIA+, como todo cidadão, ao direito, à segurança e proteção; precisamos falar.

Enquanto o nome social de pessoas trans e de travestis não for respeitado em qualquer preenchimento de dados, especialmente em serviços públicos como hospitais, escolas, universidades, delegacias de polícia; precisamos falar.

Enquanto os crimes contra LGBTQIA+ não forem investigados, julgados e punidos como determina a decisão do STF de 2019; precisamos falar.

Enquanto o Brasil ocupar qualquer posição no ranking de países que matam pessoas LGBTQIA+, e especialmente enquanto ocuparmos a vergonhosa primeira posição; precisamos e vamos falar.

Enquanto os direitos assegurados por decisões judiciais não forem colocados em prática; precisamos falar.

Enquanto o congresso não enfrentar temas LGBTQIA+, precisamos falar.

Nossos "enquantos" só vão se acomodar quando o direito do amor entre duas pessoas, sejam lá quem forem, for natural para mim, para você, para ele, para ela, para nós, para toda a sociedade.

Enquanto todos os questionamentos anteriores e muitos outros ainda forem necessários, estaremos aqui, perguntando: até quando?

Nossos "enquantos" não vão silenciar.

Enquanto necessário, seja!

PARA SABER

SEXUALIDADE

É o conjunto de todas as nossas características. Passa pela biologia, morfologia e fisiologia de cada um. É tudo que nos constrói interna e externamente. Isso resulta na forma como nos relacionamos. Claro que inclui desejos e prazeres, mas vai além, diz respeito ao nosso eu. Esse eu que se relaciona com o mundo, com os outros. É como cada um se construiu para chegar até aqui com afinidades e repulsas. É quem sou hoje! E como me vejo!

SEXO BIOLÓGICO

É a classificação que nos dão ao nascer. De acordo com as nossas características biológicas no momento do nascimento, o médico diz: homem ou mulher, macho, fêmea ou intersexual. Lembre-se, aqui estamos falando dos padrões impostos pela sociedade, segundo o corpo e a genital.

IDENTIDADE DE GÊNERO

É como uma pessoa se identifica. Como ela se apresenta socialmente. Como ela quer ser vista. A identidade de gênero independe do sexo biológico, da anatomia. Do que nos classifica como macho ou fêmea. Aqui, estamos falando de quem eu sou, como me vejo e me apresento. Sou eu quem digo a você que me identifico com o feminino, com o masculino, com os dois ou com nenhum. Não é a sua percepção sobre mim que dita quem eu sou, mas a minha! Eu que dito qual é a minha identidade de gênero.

ORIENTAÇÃO SEXUAL

É como cada pessoa se identifica na afetividade e sexualidade. É atração, prazer. Aqui é o "nascemos assim, não optamos". Esqueça a "opção sexual", apague essa expressão do seu vocabulário. Ninguém escolhe ter desejo por homem ou mulher, as pessoas têm desejos. Logo, orientação sexual é por quem você se sente atraído afetiva e sexualmente. É sobre ser gay, bi, lésbica, transexual, pansexual e por aí vai.

EXPRESSÃO DE GÊNERO

É como me apresento socialmente. Minha fala, minhas roupas, meus gostos, meus gestos, meu caminhar, meu cabelo, minhas atitudes. Novamente, nada tem a ver com o sexo biológico. Por mais que a maioria associe sua expressão de gênero ao masculino ou ao feminino, existem outras formas. É uma espécie de cartão de visitas. É tipo: este sou eu!

AGÊNERO

É quem não se identifica ou não se sente pertencente a nenhum gênero. Nem masculino nem feminino.

ANDRÓGENO

Quem tem aparência de homem e mulher, traços ligados ao masculino e ao feminino. Às vezes pode ser até confuso para algumas pessoas saberem se se trata de uma alguém que se identifica com o masculino ou o feminino. Lembre-se de que cada um é como quer. Nada de julgar.

ALIADO(A)

Lembra lá no início da sigla GLS, que o "S" significava simpatizantes? Pois hoje é quem, independentemente da orientação sexual ou identidade de gênero, apoia e defende os direitos LGBTQIA+. Por isso são aliadas.

ASSEXUAL

Importante: também é uma orientação sexual. E quer dizer que a pessoa não sente atração por ninguém. Nem por homens, mulheres, gays, lésbicas, trans... É a ausência de atração sexual, de desejo erótico. Mas claro que alguém assexuado pode namorar, ter relacionamentos, porém a sua condição não desperta o ato sexual.

BISSEXUAL

Pessoas que se relacionam afetiva e sexualmente tanto com homens quanto com mulheres. Não caia nesta de que bi é a pessoa que está confusa ou que é o gay ou a lésbica que não tem coragem de assumir. O desejo transita naturalmente entre os sexos. É natural uma pessoa bi em determinada época se relacionar só com homens ou só com mulheres.

NÃO BINÁRIO

É quem não se vê como mulher ou como homem. O não binário não se prende ao masculino ou ao feminino. Pode ser os dois, um pouco de cada ou nenhum deles.

GÊNERO FLUIDO

É a pessoa que não se identifica com uma única identidade de gênero. Pode transitar entre o masculino, feminino e agênero. Ou até se identificar com mais de um ao mesmo tempo. Lembre-se do simples significado da palavra "fluidez".

CISGÊNERO

É quem se identifica com o sexo biológico com que nasceu, com a genital. Um homem cisgênero se identifica com o pênis e a uma mulher cis com a vagina. Então, acostume-se. Há homem cis gay! E mulher cis lésbica. São pessoas que se identificam com a genital com que nasceram, mas têm atração pelo mesmo sexo.

CROSS-DRESSER

É o homem que se veste com roupas de mulher, mas não é necessariamente homossexual. São homens que usam esporadicamente roupas, maquiagem e acessórios femininos e se identificam como homens heterossexuais. Não confunda com drag queen, termo sobre o qual falaremos a seguir. O cross-dresser não usa essa forma de expressão para apresentações artísticas.

DRAG QUEEN

É o homem que se veste com roupas femininas. A drag queen normalmente é conhecida por fazer apresentações artísticas com expressão, maquiagem e roupas femininas. Mas o termo drag vai além disso. Entre as pessoas LGBTQIA+, há um respeito gigante pelas drags queens justamente pelas lutas que sempre enfrentaram na busca por direitos e espaços da comunidade.

DRAG KING

Inverta os papéis: aqui são mulheres que se vestem com roupas masculinas como expressão artística.

GAY

Pessoa do gênero masculino que tem atração pelo sexo masculino. Homem que tem desejos, relacionamentos e relações sexuais com outro homem. Lembre-se: gays podem ser cis e trans.

GÊNERO

É o que historicamente se usa para identificar e diferenciar homens e mulheres. O gênero masculino e o gênero feminino. É usado como sinônimo de sexo. É o que diferencia socialmente as pessoas.

HETEROSSEXUAL

Pessoas atraídas amorosa, física, afetiva e sexualmente por indivíduos do sexo oposto.

HOMOSSEXUAL

Quem tem atração amorosa, física, afetiva e sexual por pessoas do mesmo sexo. São os gays e lésbicas.

HOMOAFETIVO

É o adjetivo usado para se referir a relações entre pessoas do mesmo sexo. Como "casal homoafetivo", "adoção homoafetiva", "casamento homoafetivo".

TRANSEXUAL E TRANSGÊNERO

É quem não se identifica com o sexo biológico com que nasceu. É quem quebra as regras e expectativas sociais sobre como cada sexo deve se comportar. Há homem trans e mulher trans.

HOMEM TRANS

É a pessoa que se identifica com o masculino, com o gênero masculino. Por mais que, ao nascer, o médico tenha dito que essa pessoa nasceu mulher e isso tenha ido parar na certidão de nascimento: "sexo feminino".

MULHER TRANS

É a pessoa que se identifica com o feminino, com o gênero feminino. Por mais que, ao nascer, o médico tenha dito que essa pessoa nasceu homem e isso tenha ido parar na certidão de nascimento: "sexo masculino".

LÉSBICA

Pessoa do gênero feminino que tem atração pelo sexo feminino. Mulher que tem desejos, relacionamentos e relações sexuais com outra mulher. Lembre-se: lésbicas podem ser cis e trans.

TRANS HÉTERO, TRANS GAY OU LÉSBICA

Sim, é isso mesmo. Uma pessoa trans pode ser hétero, gay ou lésbica, ou bi, ou tudo o que quiser. A condição trans não limita.

Uma mulher trans lésbica é a pessoa que nasceu com genitália masculina, mas não se identifica com isso. Se vê como mulher e gosta de se relacionar com outras mulheres. Um homem trans gay é quem nasceu com genitália feminina, mas não se identifica com isso. Se vê como homem e gosta de se relacionar com homens. E o mesmo raciocínio segue para bi, não binários, pan, intersexo e por aí vai.

QUEER

É quem não corresponde à heteronormatividade. É um termo mais amplo, tipo guarda-chuva, que abriga o que não está ligado ao hétero, seja pela sua orientação sexual, identidade de gênero, atração emocional, seja pela sua expressão de gênero.

TRAVESTI

É quem nasceu com genitália masculina, mas se identifica e se entende como feminino. Se veste como mulher, se comporta como mulher e se sente mulher. Na sociedade, as travestis (*a* travesti, no feminino) ainda são vítimas de muito preconceito. Por muito tempo, *travesti* foi usado com um termo pejorativo. Hoje, isso vem sendo ressignificado. A luta política por respeito e direito faz com que as travestis tenham mais visibilidade e orgulho. Mas ainda são, junto com as pessoas trans, as mais assassinadas na comunidade LGBTQIA+.

LGBTFOBIA

LGBTfobia é preconceito! É crime. É o ódio, a repulsa, o medo, a aversão a tudo que não segue os padrões e conceitos determinados como heterossexuais. É quando uma pessoa é desrespeitada ou violentada por sua identidade de gênero, sua expressão de gênero, sua sexualidade e orientação sexual. Esse desrespeito acontece na rua, dentro de casa, na família, no trabalho, nas redes sociais. São julgamentos sem fundamento, hostilidade. LGBTfobia é praticar, induzir ou incitar a discriminação ou preconceito em razão de orientação sexual ou identidade de gênero contra lésbicas, gays, bissexuais, travestis, transexuais, pessoas trans e intersexual. Desde 2019 o Supremo Tribunal Federal (STF) reconhece a LGBTfobia como crime de racismo e determina pena de até três anos de prisão.

FONTES CONSULTADAS

Associação Nacional de Travestis e Transexuais (Antra)
All Out
Anuário Brasileiro de Segurança Pública
Carta Capital
Congresso Nacional
Conjur
Cura Gay – Jean Ícaro
Defensoria Pública do Distrito Federal
Defensoria Pública do Estado do Paraná
O Estado de São Paulo
Folha de S.Paulo
G1
Guia Gay de São Paulo e Distrito Federal
Grupo Gay da Bahia
Grupo Dignidade
Instituto Matizes
Instituto AzMina
ILGA World – Associação Internacional de Lésbicas, Gays, Bissexuais, Trans e Intersexuais
Jairo Bauer
Mães pela diversidade
Ministério Público
O Globo
Oul
Politize – site
Regina Navarro Lins
Supremo Tribunal Federal

Acreditamos
nos livros

Este livro foi composto em Adobe Garamond Pro e
Bebas Neue Pro e impresso pela Geográfica para a
Editora Planeta do Brasil em novembro de 2021.